沖縄フール曼《マン》荼《ダ》羅《ラ》

いにしえの〈豚便所〉
トイレ文化誌

平川宗隆

ボーダーインク

はじめに

「ウヮーフール」とは、ウチナーグチ（沖縄語）で「豚便所」である。ウヮーとは豚のことをいう。のちに呼称からウヮーが省かれ、フールまたはフルといわれるようになった。便所だけではなく、豚舎や豚小屋をフールということもある。

豚便所とはどういうことかというと、まず人間がもよおしてくると豚小屋に向かう。そこで首を長くして、おこぼれにあずかろうと待ち構えているのは豚である。つまり豚小屋と便所が一体となった建造物のことである。

豚は人の気配を察すると条件反射的にごちそうが来たと思い、ギャーギャー、ビービーと狂乱、狂騒状態となる。便秘のためなかなか出なかったとしたら、豚は仕切りに脚をかけ「早くしろ」と催促した。

フールはハードとしての建造物だけではなく、ソフトであるそのシステムもユニークで素晴らしい。今風にいえば「環境にやさしい」とか、「ゼロ・エミッション（廃棄物ゼロ）」などの思想に満ちあふれている。

地域に点在する遺産を「面」として活用し、発信することで、地域活性化を図る「日本遺産」というものがある（文化庁）。筆者は、石垣島、竹富島、渡嘉敷島、粟国島、渡名喜島、久米島や本島内の各地に残されているフールを「琉球王国におけるフールの遺産群」として、「日本遺産」への登録を推進していきたいと熱望している。そして、この小本を刊行することを思い立った次第である。

豚小屋でウンコして、それを豚に食べさせ、その豚を人が食べるという、恥ずべき行為をあえて人前にさらす必要はないとの意見も少なからずある。しかしフールは数百年にわたり琉球全域で継続使用され、第二次世界大戦後の1950年代まで存在した風習である。包み隠したり、消し去ることはできない。諸外国にもフールと同様の文化があった。韓国・済州島の城邑民族村やフィリピン・ルソン島の民俗村のフールは外国からの観光客や国民にも堂々と展示されており、ここ沖縄でも南城市の「おきなわワールド」や恩納村の「琉球村」、沖縄市の「沖縄こどもの国」で、豚と住民との関係を示す生きた教材として活用されている。

また、広場の片隅にポツンと残され、子供たちの遊び場になっているフールや、長年風雨にさらされ朽ちかけたフール、通りに面した一角に堂々と移設されたフールもある。このように点在するフールが地域活性化に役立つなら、これ以上の喜びはない。この小本は、拙著『沖縄トイレ世替わり』に新しい知見を加味し、さらに臭いを濃くし、20年以上にわたって調査・収集してきた外国や国内、県内の便所の写真を網羅し、ビジュアルな編集に心がけた。ますますフールに特化した臭い内容になって恐縮だが、最後までお付き合いいただければ幸いである。

2020年8月

新型コロナウィルスが世界中を席巻した年に

平川 宗隆

「養豚場のフール（便所）（那覇市・昭和７～８年頃）
フールとは豚の飼育小屋を兼ねた厠のこと。フールヤー、ウヮーフールとも呼ばれた。中国から伝来したといわれ、沖縄の民家の施設として特質なものであった。大正５～６年頃より、都市衛生上の観点から新規にフールを造ることは禁止となった。

出典：『目で見る那覇・浦添の 100 年』

出典：『写真集　沖縄戦後史』（那覇出版社）

屋根付きの豚便所（フール）八重山郡石垣町
転載元：『琉球建築』（田辺泰、巌谷不二雄著、座右宝刊行会、1937）

豚便所（フール）八重山郡石垣町
転載元：『琉球建築』（田辺泰、巌谷不二雄著、座右宝刊行会、1937）

出典：『写真集　沖縄　失われた文化財と風俗』（那覇出版社）

出典：『写真集　沖縄　失われた文化財と風俗』（那覇出版社）

出典：『よみがえる戦前の沖縄』（沖縄出版）

まるで「おーい、早くオヤツくれ」と叫んでいるようだ
（沖縄県立博物館・美術館　伊藤勝一資料提供）

目次

海洋投棄の船を出迎えるように現れたイルカの群れ

第一章

本章では、人々がどのような方法で糞尿を処理してきたのかについて、第一の方法から第五の方法まで順を追って考えてみたい。

琉球・沖縄　トイレ世替わり

琉球のトイレ事情とフール

旧石器時代は「遊動生活」といわれ、狩猟採取をしながら長期間同じ場所に定住することなく、獲物を追って「遊動」していたと考えられている。

現在と比べると決して機能的とはいえない動物や魚の骨や石で作った道具で狩猟生活に励んだ。狩りと漁りは自然にかなった最も容易な生活方式であった。

旧石器時代の人々が用を足した便所がどのようなものであったかは、その生活様式が未開の狩猟と漁猟であったことからある程度察しがつく。つまり海へ行った時は海辺で、山野に鳥獣を追う時は山野に自由奔放に糞尿をまき散らしたことは想像に難くない。

彼らは糞尿を溜めて肥料とする術も知らなかったし、ことさらにこれを水に流して処理するというわけでもなく、何も考えずに悩むことなく単にひり散らかしたに過ぎなかったであろう。

だが、新石器時代（縄文時代）になると、多くはムラを形成するようになり、長期間同じ場所に定住するようになる。この時代には土器を作り、これで穀物などの植物質食材の煮炊きが可能となり、

「餓鬼草紙」に描かれた路上での排便の様子
（神奈川大学日本常民文化研究所・平凡社フォトライブラリー提供）

旧石器時代には利用できなかった食材を可食植物に転換できたのである。かくして可食食料の増加は人口の増加にもつながっていくのである。

土器は重くて、割れやすく持ち運びには不向きである。この不便さが定住を促進し、集落を作り、「ムラ」の暮らしへと発展していった。おもしろいですね。

本章では、人々がどのような方法で糞尿を処理してきたのかについて、第一の方法から第五の方法まで順を追って考えてみたい。

自然に還す――第一の方法

糞尿の自然葬(風葬・水葬など)。つまり、微生物や、フンコロガシのような昆虫に食べてもらう方法である。

大平原の中のポツンと1戸のトイレ(観光客用)

自然に放置すればそれで万事OK。つまり厠が発生する以前の段階である。

糞尿を集めるという知恵が湧いてきた契機は2つ考えられる。ひとつは肥料として農地に還元すること。もうひとつは居住地の集中化である。人が集まり糞尿をひり出す量が多くなれば臭いやハエの発生など環境が悪化する。モンゴルのような遊牧民族はもちろん、インドの農村には今でも家に便所がない所が多い。

今から540年前の琉球の便所のことについて、『朝鮮王朝実録琉球史料集成・訳注編』池谷望子・内田晶子・高瀬恭子 編・訳(榕樹書林 2005年)によれば、概ね次のように記されている。

一四七七年の春、韓国・済州島の漁師、金非衣らは、柑子（みかん）の貢物を積んで出港したが、途中、嵐に遭って与那国島に漂着した。そこに六カ月滞在後、さらに六カ月の歳月をかけ、西表、波照間、新城、黒島、多良間、伊良部、宮古の七島を経由して沖縄本島にたどり着く。そこに三カ月滞在した後、祖国に帰るが、経由した島々のことについて、当時の沖縄の風習などについて細かく記録している。そのなかに与那国から伊良部の島々にはトイレがなく、島民は大便、小便を野で済ませていたようだが、宮古島に至って初めて厠を見た。

また伊波普猷は八重山の便所について、『朝鮮人の漂流記に現れた十五世紀末の南島』で、トイレがなかった島のことにふれ、自分の体験談を次のように記している。

明治四〇年の春、八重山を訪れた時、私は海岸にある寄留商人の家に泊まりましたが、この辺一帯には厠が無く、毎朝未明に波打ち際まで出かけ、砂に穴を掘って、始末しなければならなかったので、朝寝坊の私は、大いに閉口したことがあります。四百五十年前の八重山諸島の状態は、これでも推測することができましょう。

明治40年（1907年）は、今からたった114年前である。アポロ11号が月面着陸したのは1969年のことだから、それよりわずか62年前のことである。

琉球の人々は500年ほど前まで、否、八重山諸島の島々においては100年ほど前までトイレは外でするのが普通であったことが浮き彫りになった。

ところで、野糞のことが琉歌にも、ユーモアたっぷりに詠まれている。

山原《やんばる》ぬ旅や　いくたびんさしが
糞《くす》ぬ歩《あ》っちゅしや　今度《くんどぅ》初みてぃ

大体分かりますよね。訳すと、「山原への旅は何度も体験したが、ウンコが歩くのを観たのは今度が初めてだ」となる。

山原は山亀で有名である。たまたま野グソをしたら、それがなんと山亀の甲羅の上だった。急に背中が熱く重たくなってたまげたのは山亀で、びっくりして動き出したというわけである。

動物に食べさせる——第二の方法

犬や豚に食べさせる方法は中国や東アジア、ポリネシア原住民に多かった。日本では沖縄がこの文化圏に入っていた。中国との交易が500年にもわたって続けられてきた琉球は中国から風俗・習慣など多大な影響を受けてきた。豚に人糞を与える方法は、中国との関係以前から存在していたのか、それとも直接中国から導入したのか、興味あるテーマである。

中国語の古語に圂《こん》という字がある。これは厠と同義語である。豕《し》は豚のことである。つまり囲いの中に豕が入ると圂になり、豚小屋

四川省チャン族の村で見かけたトイレ。後方は豚房だが、現在豚は飼われていない（2019年9月）

＝便所を意味する。そこで大便をすると豚が処理してくれる、という象形文字である。

動物に人糞を与える形態の便所は豚を飼っている地域に多い。豚は雑食性であるからだ。

筆者は2019年9月、中国・四川省の高地に住む少数民族チャン族の村を訪ねたが、その村人たちは家屋の中で豚を飼っていた。家という字は宀の下に豕と書く。これは一つ屋根の下で豚と共に暮らしている様を表している。

そこでいくつかの豚小屋を覗いたが、その中のひとつで現在豚は飼われていないが、かつては明らかに豚が飼われていた形跡があり、その豚房の前のしゃがみ式の便所は現役バリバリであった。

また、動物に食べさせるカテゴリーのひとつに魚の養殖がある。この方式の便所はベトナム北部のニンビンで遭遇した。皆さん想像できますか。そのものずばりトイレを池でするのです。しなるような幅40センチほどに束ねた竹の橋が池に渡されていたが、人がその近くを通ると魚がおやつを期待してピチピチ跳ねる。しばしその様子に見とれていた。

この方法は、海の桂林で有名なハロン湾の養殖場にもかつては存在した。クルーザーの中で食べるランチにも養殖魚が登場したが、今では見かけないようである。

フールの話に戻そう。フール以

鶏もおこぼれにあずかりたくて忙しそう。池には魚が飼われている（ベトナム・ニンビン、2005 年）

フールの原型かも（ベトナム北部）

韓国・済州島（民俗村）におけるフールの様子

前の沖縄のトイレの実態はどうだったのだろうか、考えてみたい。

既述のとおり、伊波は明治40年（1907年）頃の八重山地方にはトイレがなかったと述べているが、琉球各地に於いてすべてがそうであったとは限らない。だが、次第に人口が増えるにしたがって糞害は大きくなり、なんとかせねばと住民は考えていた。その矢先に、中国帰りのエリートたちからフールの話を聞くに及び、「ウレー、イイカンゲーヤッサー（これはいいアイデアだ）」と飛びついた。

自分たちの食料さえ充分に得られなかった当時、豚のえさを確保することは至難であった。そんな折、自分がひり出したウンコが豚のえさになるのであればこんないいことはない。瞬く間にフールは各地に広がった、と仮定したらどうだろう。

しかし、フールは現在残ってい

るような石造りの立派なフールではなく、当初は拾ってきたその辺の石を積み重ねただけの粗末なものであったと思われるが、1605年イモの伝来後、豚の飼料の確保が容易となり、豚を飼う農家の増加・拡散により、フールは急速に広まったと考えている。

肥料として農地に還元する ——第三の方法

人糞をえさとして豚に与え、豚はそれを食べて大きくなり、美味しい肉となって人々の口に入る。一方、豚が排泄するウンコは有機肥料として畑に還元すると素晴らしい野菜となって食卓を豊かにす

る。こんな夢のような食物連鎖が実際に琉球には存在したのであるが、時を経るにしたがって、様々な要因で次第にフールは消滅の過程を辿っていく。詳細は第四章に譲りたい。

明治から大正・昭和初期にかけての便所の形態は、農村部のフールと都市部の汲み取り式の二本柱で進んでいく。人糞を溜めて下肥にすることの価値を、琉球の農民は十分に理解していた。農家はサイドビジネスとして豚を飼い、生の人糞は豚のえさとして与え、豚糞は腐熟させて堆肥として利用する他に、人の屎尿は都市部から購入したり、自作の野菜と交換したりして収集していた。

大正時代の那覇の風景を描いた、金城朝永『糞尿汲取・室内便所』から当時の屎尿の汲み取り風景と屎尿の価値について見てみよう。

◆

琉球の那覇市では、一里近郊の農夫が買いに来て、肥槽に汲み取って担いで帰っている。一回の汲み賃は大正中期頃の相場が五銭位で、中には現金にしないで、芋、野菜類を置いていくこともあり、大抵顧客先は決まっていた。筆者の所に来た農夫は鏡水（那覇の南方一里程の地）の者で、季節々々の野菜を持って来る外、大掃除や折々の人手不足の必要な時にも手伝いに来てくれた。後には娘を紹

米国から運びこまれたドラム缶の山
（写真提供：那覇市歴史博物館）

介に連れて来て、以後はその持って来る野菜類を近所の家々にも特に安く売っていた。もっと遠方から来る農夫は、別に小舟に移し水路を利用していたので、那覇港内奥武山島あたりでは琉歌を唄いつつ小舟に棹さして行く姿が一風物をへていた。

◆

ゆったりした時間が流れる風景が目に浮かぶ。糞尿がお金になる時代もあったんですね。また、農家と屎尿を提供する側の温かい交流風景が伝わってくる。

さて、沖縄におけるトイレの変遷を述べるうえで、欠かすことのできない時代がある。そのことについて触れておく。

沖縄は第二次大戦後間もなく講和条約により、日本本土から切り離され、米国の施政権下におかれた。そして、基地建設のため本国から多くの兵士と物資が送られてきた。その中には重機や車両の運転に必要なガソリンがドラム缶に積まれて大量に輸送されてきた。

ウチナーンチュは使用済みドラム缶を利用して家庭用の便所を作った。ドラム缶を地中に埋め込み、角材で足場を強化し、その上に厚手の板を載せれば出来上がり。たちまちドラム缶便所が至るところに出現した。

だが、汲み取り式便所の最大の欠点は満杯になった便壺から、屎

ドラム缶を利用した便所と、その内部

尿を汲みだす際に１００メートル四方に芳香をまき散らすことであった。たまたま時間がずれた食事時にこれに遭遇すると悲劇であった。

海洋投棄——第四の方法

都市屎尿が多くなりすぎ、農地への還元が困難となり、海洋投棄に頼った処理方法の時代である。

実は沖縄県で、下水道の恩恵を受けている人の数は全人口の約90％（平成8年度）である。したがって約10％はいまだ汲み取り便所から脱却しきれていない。

ほとんどの市町村では処理施設を持っているが、２０００年当時、那覇市と南風原町は処理施設を持っていなかった。そのためやむなく海洋投棄という荒っぽい手段をとっていた。

❶那覇新港埠頭にて。第五秀邦丸と記念撮影。

❷ゆっくりと出航する

しかし、国際的な海洋汚染防止の高まりを受け、厚生省（当時）は2000年度末までに糞尿の海洋投棄を廃止するようにと各自治体に呼びかけた。

筆者は、当時、幸運にも中央保健所（現在の那覇市保健所）の生活衛生課長をしていたために、間もなく消え去る運命にあった海洋投棄の現場を観ることができた。第五秀邦丸という屎尿運搬船に乗船するという貴重な体験である。

那覇市や南風原町にいまだ残るポットン便所からバキュームカーで汲み取った屎尿はいったん那覇新港近くの貯留槽に運ばれる。一定量になると屎尿運搬船に積み替えられ、洋上で投棄される。当然海洋汚染の原因となる。これはその生々しい記録である。

❶平成11年6月3日午前7時30分
出発前の第五秀邦丸(499屯)の横で記念写真。思ったより大き

❸思いがけずイルカと遭遇

❹❺投棄海域に到着、バルブを開けて屎尿を排出する。海が直線状に汚れていく

く立派な船だった。安謝の那覇新港埠頭にて。

❷午前7時30分

屎尿を満載し、ゆっくりと那覇新港を出航する第五秀邦丸の雄姿。

❸午前11時頃

思いがけずイルカの歓迎を受ける。その頃にはもう周辺には島影は見えない。

❹午後2時頃

北緯25度13分、東経127度22分の投棄海域に近づく。

間もなく甲板上のバルブを開け、屎尿の排出が開始された。その時、船上ではなんとも言えない芳香が漂ってきた。

❺午後2時過ぎ

コバルトブルーの海を直線状に屎尿が汚していく。素晴らしい匂いとともに。

❻午後2時35分

屎尿タンクの量が少なくなるに

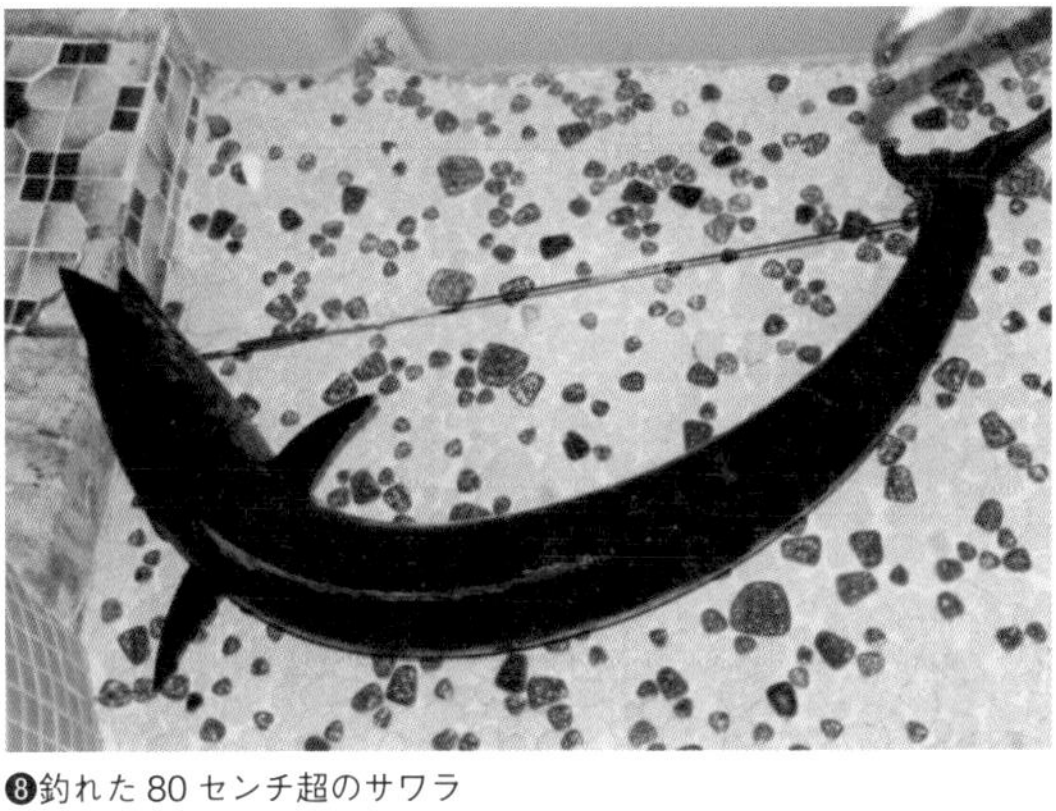

❽釣れた80センチ超のサワラ

❻❼屎尿タンクの量が減っていき、空っぽになれば、海の色もだんだん元の青色に。完全に投棄が完了するまで40分を要した

つれて排出される屎尿も次第に少なくなり、黄金色も薄くなってきた。

❼午後2時40分

投棄が完全に終了するまで約40分経過した。やっと海の色も元通りになった。あとは那覇を目指して帰るのみ。

❽午後5時頃

船尾から流していた釣り針に80センチ長のサワラが食いついた。船員がその場で捌いてくれた。糞尿の臭いのしない最高の味だった。

❾午前6時30分

接岸。船は3日の夜8時頃には那覇新港沖に到着したが、その夜は安全を期して接岸せず、翌朝明

❾❿⓫戻ってきた船は翌朝接岸、すぐに次回の出港に向けて準備。屎尿を移し替えるバルブが接続される。

⓬⓭⓮那覇市内の屎尿汲み取りを手がける那覇市環境衛生公社。バキュームカーで集められた屎尿はいったん貯留槽に溜められ、次回の出港を待つ。

るくなってから接岸した。

⓾陸から船へ屎尿を移し替えるためのバルブとジョイント。

⓫接岸と同時に次回の出港準備のため、休む間もなくパイプの接続を開始する。

⓬那覇新港の近くにある財団法人那覇市環境衛生公社。ここが那覇市の屎尿汲み取りを引き受けている。

⓭那覇市内や南風原町内の家庭からバキュームカーで収集された屎尿は、注入口から貯留槽へと流し込まれる。

⓮次に屎尿運搬船が出港するまで屎尿はいったんこの貯留槽で貯留される。

　貯留槽から⓫の屎尿運搬船に接続するジョイントまでは、地下のパイプで接続されている。

水洗トイレ――第五の方法

　今や沖縄でも多くの家庭や職場で洋式シャワートイレの恩恵にあずかっている。長い時間座っても疲れず、清潔で、すこぶる快適である。

　トイレが和式から洋式に変わっていく中で、多くの珍エピソードが残されている。洋式トイレは使用後、コックをひねると水がジャーと流れる仕組みだが、水が止まらなく右往左往した話（私自身のエピソード）、便座に上ってしゃがんで用を足した、はたまた後ろ向きになってタンクに抱きついて用を足したなど、枚挙にいとまがない。

中東やアジアのトイレは、かつての日本のようなしゃがみ式（和式）であるが、日本同様高齢化が進むと必然的に洋式（腰かけ式）に変わっていくと思われる。

水洗の場合、便器に落とされた分身は、コックをひねると、あら不思議、たちまち目の前から消え去ってしまう。まるでマジックだ。

おおかたの人たちはこの現象に、何の疑問も抱かずに「あぁ～すっきりした」と思うだけで、自分がひり出した分身の行方を考えたことはないと思う。

これからが大変なんですよ。流された分身は、下水道管を通って長い道のりを上ったり下ったりしながら下水処理場まで旅をするのです。

（小島麗逸著「屎尿処理史」『アジア厠考』勁草書房 1994年 参照）

コラム

便所の考古学

糞便は、その性質上後世に永く残るものではない。そのため考古学上、便所を発見する機会は多くなかった。その時代の人々は排泄物をどう処理したのか、私たちが生きていくうえで、最も身近なことが考古学では意外に分かっていないのが現状である。ところが、未知の部分だったそれらのことが解明されるような出来事があった。

平成4年1月、奈良県橿原市の藤原京の発掘で奈良国立文化財研究所所属・黒崎直氏が7世紀後半の日本最古の便所を発見した。それは幅約50センチ、長さ105センチ前後の長方形の穴に、黒っぽい粘土と木簡の破片、割りばしのような木片などが詰まったものであった。便所を証明する上で決定的となったのが寄生虫の卵の発見だった。

かつて考古学は、出土した遺物を分類し、遺構に考察を加えるだけで事足りた。しかし、今日では、過去の人間がどのように生活していたか、関連する分野の研究者が共同して調べる必要となりつつある。（平成4年7月23日 朝日新聞）

平成4年は便所に関する考古学上のエポックになる年であった。この、1月に発見されたばかりの日本最古と思われた便所の遺構であったが、はや12月にはその記録が塗り替えられたのである。

これまでに見つかった便所の遺構は、前述の藤原京で確認さ

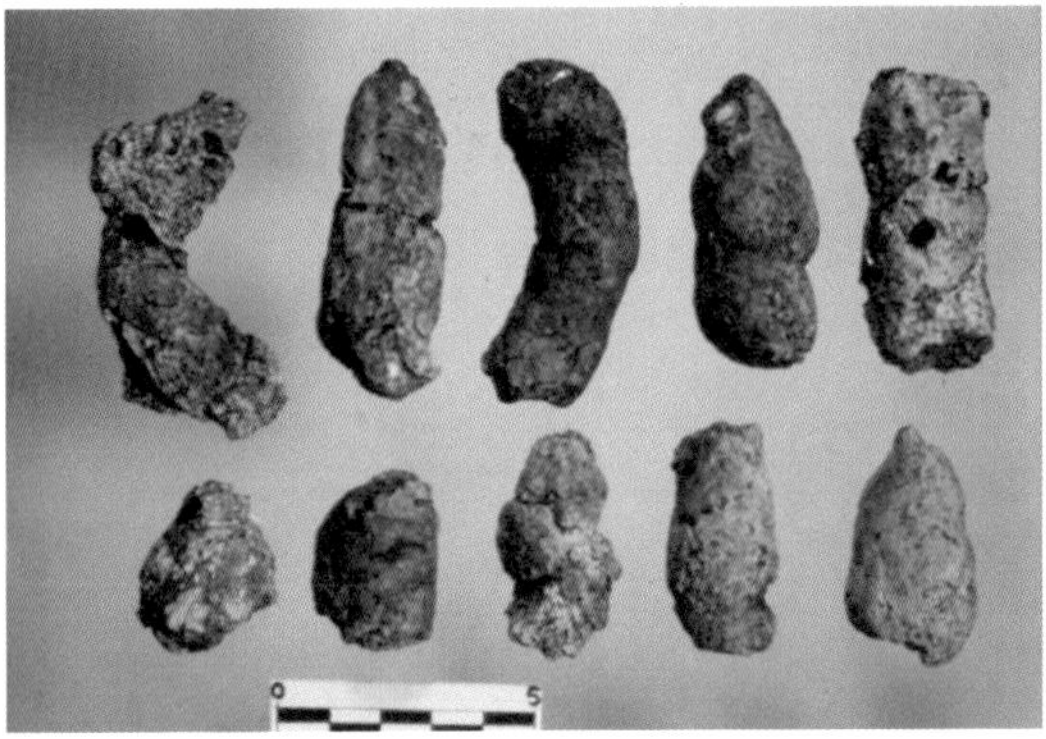

糞石。ウンコの形そのものですが臭いはありません
（福井県立若狭歴史民俗資料館提供）

れた7世紀の汲み取り式が最古であった。しかし、わずか1年の間に日本最古の便所の記録が塗り替えられたのは驚異であると同時に、汲み取り式より先に水洗便所が4世紀前半には存在していたことが判明、唖然とさせられる。また、発見された両遺構が便所と確認されたのは、他ならぬ排泄物の鑑定によるものであり、あらためてウンコの重要性を認識させせられた。

ところで、遺跡の土を調べる方法以外にも、考古学的に便所の確認をする方法として、化石になった糞、つまり糞石（糞化石）を調べる方法がある。

糞石は他の動植物の化石と同様に腐って分解しない特殊な条件の下で、糞がそのままの形で化石化されるものである。糞石には、食べ物のカスがそのまま残っているので、これを分析することによって当時の人々が何を食べていたかがわかる。

もちろん化石になっているので臭いはないし、汚いというイメージもない。

さまざまな形の糞石には寄生虫の残骸や卵がそのままの状態で保存されているので貴重な情報源となる。その糞をやらかした本人の健康状態、当時の食べ物や、どのような寄生虫に罹っていたのかなど、たちどころに分かってしまう。また、最近の研究では、これらの糞石から動物と人、男か女かも分かるようになってきたというから、すごい。

「4世紀後半のトイレだった」

奈良県桜井市巻野内の纒向遺跡で、1987年に見つかった導水施設跡（4世紀前半）が、桜井市教委などの調査で、国内最古の水洗トイレを含む大規模な上下水道施設だったことがわかった。宮殿など政治の中枢用とみられ、遺跡全体は上下水道を備えたわが国の本格的な都市だった可能性も強まっている。遺跡の土から寄生虫の卵が大量に検出したことから分かった。

（平成4年12月5日付 朝日新聞）

カルチャーショック！フール初体験

フールの構造

明治や大正の頃、ヤマトゥンチュが琉球に来て最初に戸惑うのは、フールすなわち豚便所だったであろう。全く異次元の体験に仰天すること、10人が10人ともコシを抜かしたに違いない。これこそカルチャーショックの最たるものであった。

ヤマトンチュによって書かれたフールについての文章をしばしば目にするが、中でも奥田金松によって公文書として農商務省に提出された『第四次獣疫調査報告書』1911年（明治44年）に、「沖縄県下ニ流行セル豚疫調査報告書」と題した記録は出色である。明治41年から42年にかけて沖縄で大流行した豚疫についての報告書であるが、フールやそこで飼われている豚の状況が手に取るように伝わってくる（原文はカタカナになっているが、ひらがなで表記する）。

《豚舎》

本県は有名なる畜産地として、又、有名なる家畜虐待地なり。殊に豚の如きは、隘小不潔の舎内に蟄居《ちっきょ》せしめ、運動せしめず、風雨を凌《しの》がず、光線の直射を避けず。

本県は著名なる珊瑚礁の産地にして、県下到る処、之を見ざるはなく、従て、廉価なるが故にも亦た、之を応用すと雖も、其材料たるや頗る下等のものを用い、凹凸不平、大小深浅不同の穴孔多き、品質極めて粗悪なるもののみにして、甚だしきに至りては、適宜の小石を寄せ集め、漆喰様の粘土を以て積み重ね、床も亦た、之を敷き詰むるも、其の空隙《くうげき》を充填することなし。而して内地に於ける豚舎の構造とは全く趣を異にし、別に戸口を具えず、奥行き5、6尺、間口4尺位、箱型に以上の粗石材を立て、壁となし、石段の下方、即ち豚舎の入り口に便器(家人用)を設けあり、数豚舎相連接せるものは、其の境界に高さ2尺の板石を立て、障壁となし、豚の交通を遮《さえぎ》る。汚物溜に通ずる溝は、何れも豚舎内面の前壁に沿ふて設けられる故に、数豚舎並列連続する場合には、溝に適宜の勾配を付し、各舎を通じて、舎外の汚物溜に注流せしむ。

◆

　有名な豚の産地はいいとして、豚の虐待地とは不名誉なことである。が、身動きもままならないような狭いフールに閉じ込められている豚は、やはり虐待ととられても仕方ない。フールの造りに関しては粗悪なものを見たと思われるが痛烈に批判をしている。しかし県下のフールはどこも大体似たようなものであったと思われる。

　次いで大正13年(1924年)に子安農園出版部から発行された『通俗豚飼育法』の中から「附記　沖縄の養豚」を見てみよう。著者は沖縄県技師・賀島政基で沖縄滞在50年の体験者である。

◆

豚舎は悉《ことごと》く石にて造り一室の広さ多少の差ありと雖《いえど》も。(中略)7尺間口4尺にして、周壁の高さ床面より、二尺二寸、後方には「カブヒ」と称する、広さ3尺位の石を以て覆ひたる屋根代用ありて、上面は漆喰塗りとし、此の下にて、豚は雨風を避け、又寝床とす。其の他は解放セリ。斯の如く、後方僅かに3尺を除く外、屋根なきを以て、完全に雨露を凌ぐ能《あた》はず、又日光直射し、所謂雨晒らしの有様にして、夏季は床石焼くが如く、冬季は寒風吹き込む等、非衛生的なるを悟り、近来は茅葺の屋根を造り、或は夏季糸瓜《ヘチマ》、苦瓜《にがうり》、夕顔棚等を設け、日陰を造る者あり。

　尚ほ、改良豚に対しては狭隘なるを以て、漸次豚舎を改良しつつあり。豚舎は宅地の都合上運動場の設備なきを以て、常に狭隘なる舎内にのみ閉じ込められ、運動不足勝なるにつき、熱心なる養豚農家は、毎日間食として甘藷蔓を投げ与へ、之を拾うことに依りて、多少たりとも運動の不足を補うこととせり。

◆

賀島もまた、フールを細かく観察している。筆者もフールの衰退の一因として、品種改良により、豚が大型化したことによりフールが手狭になったことを考えているが、賀島がその答えを出してくれた。夏の暑さ対策として、茅葺のフールの屋根にゴーヤーやヘチマを這わせることにより直射日光を遮り豚舎内の温度を下げる。これは素晴らしいアイデアである。豚糞の堆肥でゴーヤー、ナーベーラー（ヘチマ）は繁茂し、其の日陰の心地よさを豚が享受するとともに、その実は人間さまのご馳走になる。一石二鳥とはこのことなり。

人が来るのを期待して外をのぞく黒豚
（出典：『写真集　沖縄戦後史』那覇出版社）

トイレ学（？）の創始者ともいえる李家正文は、トイレに関する

豚を追う婦人（昭和初期）（出典：『写真集沖縄』那覇出版社）

著書を多数世に送り出している。これらの著書は、現在ではその道の研究者にとってなくてはならない貴重な資料となっており、バイブル的な役割を果たしている。そのうちのひとつである『厠（加波夜）考』「建築様式並家相」Ｐ50—51に、琉球のフールについて、『犯罪科学』（出版社及び発行年不詳）から興味深い文章を引いている。以下に引用文を紹介する。

◆

　琉球の厠は、その墓と共に最も特色あるもので、一般の農家でも家は茅葺でも両者は石造の立派なものである。厠は横四尺、長さ一間半、深さ三尺程の長方の箱形で通常その中に豚を一匹小豚ならば二、三匹飼って、之に人糞を食わせる仕掛けになっていて露天のままであるので、後方に屋根を造り、ここが豚の雨露をしのぐ寝床になり、前方は踞《うずく》む所で穴があり、内部に通じている。糞の出方がおそいと豚が鼻をクンクンと鳴らして尻を突かれる所があるので、穴には横に五寸ほどの棒を二本渡してある所もある。前方の踞む所が満員になると子供などは上の隅の直角になった所で用を便ずることもある。

　那覇の奮家などは、家に接近して造り、一方は露天で、他方に家内から入れるようにして暴風雨の時はそこを利用し、上客の場合にも提供した。が一般の家では雨の日は傘をさして用を便ぜねばならない。（中略）しかし琉球の厠も昔から今の形ではなく、天保の頃薩摩藩の吏士の手になった「南島雑話」の大島の厠の絵を見ると、かなり広い間所に円形の柵を廻し、大きな丸太を横たえてその上で排便を垂れるようになっているが、これが琉球の厠の古い形と考えられる。

◆

ドキュメント❶　末吉村落跡の民家のフール

中央の豚房のカブイ（アーチ型）の部分が崩壊しているが、ほぼ全様が分かる見事な３連式のフールである。右側のフールの手前に見える溝がトゥシヌミー、ここで用を足す

２０１９（令和元）年11月14日の琉球新報「末吉村落跡に民家遺構」の見出しに目が釘づけになった。

那覇市文化財課が、末吉公園内の末吉村跡で18世紀～19世紀の遺構とみられる民家跡を発掘した、というものである。

記事によると、民家跡の面積は約５１０平方メートル、石を敷いた道や台所、フール、地面に埋められた2つのかめ、排水路など、屋敷全体の間取りが分かる形で遺構が残っていたという。

2日後に現地で市民向け説明会が開かれるということで、筆者も足を運んだ。

この場所は、モノレールの那覇市立病院前駅から歩いてもそう遠くない距離にあるが、乗り降りがめんどくさいので、当日、家内の車で末吉公園まで送ってもらった。

途中、同じ目的だとわかる年配者の方々が何名か歩いているのを見かけた。

現在は車やモノレールのような便利な乗り物があるが、当時、この周辺に住んでいた人たちは坂道が多いので大変だっただろうな、とふと思った。

そして現地で、実際に遺構を目の当たりにして、「よくぞこれが残っていてくれたものだ」と感動した。

18世紀～19世紀にかけて、３連式のフールは珍しく、村の有力者の地位を象徴しているようである。

発掘された末吉村の民家跡。中央に2つの埋められた甕、その上に台所、左上にあるのがフール。（写真提供：那覇市文化財課）

3連の左側にある豚房は前方の壁が崩壊しているが、内部は原形をとどめている。写真右手前に見える丸いレンガ色の入れ物はトーニ（エサ入れ）で、朝夕2回これにエサを入れて豚に与えていた。

フールの手前に見える溝がトゥシヌミー、ここで用を足す。トゥシヌミーの背にある大きな石は、用便中に豚が近づくのを防ぐために設置されている

しかし、石灰岩を粗削りし、それを並べただけの造りは、北中城村の中村家住宅のフールと比べるとかなり粗雑であることが分かる。

床石の並べ方は割と丁寧に敷きつめられているが、凹凸が見られ、豚にとっては蹄への負担が大きかったのでは、と思った次第。

左側の豚房の奥行きは2・1メートル、幅1・4メートル、面積は2・94㎡（≒0・89坪）、1坪弱の狭い豚房である。

現在の西洋種の豚であればかなりきゅうくつと思われ、当時のアグーがいかに小柄であったのか見当がつく。

奥には、豚の屎尿を溜めるシーリ（肥溜め）が設置されている。シーリに屎尿がたまると、肥桶に入れて畑に運び野菜の肥料に使った。

シーリは壁からも底からも漏れないように豚房よりも堅固に造られている。肥料としての豚の糞尿の価値は高かったことがしのばれる。

現在は車やモノレールのような便利な乗り物があるが、坂道の多いこの周辺に当時住んでいた人たちは、肥桶を担いで畑まで運ぶ労力は大変だったことであろう。現代人は何も持たなくても歩くことを良しとしないのだが。

さらに後日、また別の地域であるが、遺跡発見のニュースが飛び込んできた。

２０２０年７月26日の沖縄タイムスに、「嘉手納基地に戦前集落跡　町、文化財発見届提出」の見出しがあり、目が釘付けになった。以下大要を記す。

嘉手納町教育委員会町史文化財課の宮里知恵さんは「戦後すぐに町民が住む場所は基地に接収され土地開発が進み、戦前の集落跡はあまり残っていない。とても貴重だ」と話した。

発見場所は字兼久。フール（豚小屋を兼ねたトイレ）や水溜め、石組みの内側にモルタルのような素材が塗られた肥溜めとみられる方形遺構などの戦前の屋敷跡と、貝塚時代の後期（弥生～平安時代）頃の土器の破片、10個ほどの厨子がめ（骨壺）が見つかったという。

こちらも今後の調査に期待したいと思う。

末吉村落跡の３連式フールを右側から見る

琉球弧に残されたフールを巡る

各地のフール

奄美諸島を含む琉球列島の島々や地域の養豚風景やフールの構造について俯瞰する。

共通していることは、

❶県内では比較的得やすい琉球石灰岩を加工し、積み上げた形式のものである。

❷当時飼われていた島豚（アグー）の体型に合わせたサイズでかなり小さい。

❸豚の熱中症対策や風雨対策のため、茅葺きや瓦葺きの屋根付きフールも見られるが、ほとんどは露天のままである。

❹豪農や地方の役人などのフールの造りはカミソリの刃が入らないほどに緻密に造られているが、一般庶民のフールは雑に造られており、床なども凸凹が多い。おそらく蹄《ひづめ》や脚の物理的傷害（捻挫や骨折等）が多かったのではないかと思われる。

❺豚房の壁の高さは約70～80センチと、そう高くないので、発情時などに隣の豚房や外に逃げ出すこともあったと思われる。

❻便秘気味な人が来た時、せっかちな豚はお尻を舐めたり、後ろから乗っかかったりすることもあったと思われる。

このようなことを念頭に各地のフールを眺めてほしい。

国頭村奥のフール

（前略）沖縄の農家には古くから旧正月用の自家用屠殺の風習や豚小屋便所があった。この豚小屋便所は豚舎に便所を設け、人の排糞を直接豚に喰わせていた。この悪慣習の圂《こん》歴や方法について、比嘉春潮氏は、沖縄の圀において小野勝年氏の「韓国の圀と厠について」から引用し、「豚に人糞を食わせて太らせ、これを食用とする一方、豚の糞尿を肥料とするといった驚くべき経済的な方法を広く漢代に実行していたことが、圀の字や明器の存在から証拠立てられる。」とのことである。この豚の飼育法は沖縄の養豚法そのままである。

そしてシナでは漢の頃にはすでに一般化されていたこの飼育法はシナの発明か、または外国の影響かわからないが、少なくともこれを殷代まで遡ることができるといわれる。沖縄のこの飼育法もシナからの伝来とみて、それがいつ頃、どういう経路で入ってきたかをたずねることは沖縄民族の食生活や農業技術の歴史的考察の上から非常に興味ある問題である。

なお、豚舎と便所を兼ねた「ふろ」は漢字の圀を充てるのが適当ではなかろうか、圀における人と豚との交渉する穴を「東司の穴」というが、東司は禅家で厠のことだというから仏教伝来後のことばであろうと記している。この「ふろ」（フール）は奥の方言では「プル」、「トゥスヌミー」は「トゥシンミー」と呼んでいる。

また、旧来の飼育方法に対し、県当局は大正末期に衛生上の見地から漸次これを改めさせる方針を採って、都会地ではこれを禁止したが、農村ではなかなか改まらなかった。奥でも1935年（昭和10年）頃から更正便所の呼称で「プル」から「トゥシンミー」を分離し、独立した便所を設置すべく指導がなされたが、改良は遅々として進まず1942年（昭和17年）頃まで「トゥシンミー」の利用が見られた。（後略）

（字誌「奥のあゆみ」国頭村奥事務所（昭和61年発行）より抜粋）

◆

渡嘉敷村のフール

太平洋戦争末期の沖縄戦で、米軍が慶良間諸島に上陸するのは

農民の家より立派な豚小屋。「座間味島南西部でよく見られる光景」
（1945 年５月撮影・米国海軍資料、写真提供：沖縄県公文書館）

1945年（昭和20年）3月26日のことである。米軍は沖縄本島への上陸に先立ち泊地や水上機基地などを設置するため、第77歩兵師団を慶良間諸島の座間味島など数島へ上陸させた。

当時のフールの状況がよくわかる
（1945 年５月撮影・米国海軍資料、写真提供：沖縄県公文書館）

日本軍はこれらの初期侵攻を全く想定せず、地上部隊をほとんど配備していなかったため、米軍は上陸からわずか3日後の29日までに慶良間諸島全島を占領した。

たまたま沖縄県公文書館で資料を検索中、偶然に米軍が撮ったフールの写真を発見した。1枚目の写真の手前が住宅と思われるが、それよりも正面の豚小屋のほうが立派に見える。いかに豚を大切にしていたかが伝わってくる風景だ。

2枚目の写真は豚小屋には簡易ではあるが、一応暑熱や風雨を凌《しの》ぐために屋根が設えられているが、人が用を足す場所には屋根はない。脚注には、「地元の男性に裏庭の豚舎と便所にＤＤＴを散布するよう指示する地元の女性。ハエやその他の害虫への効果を知ってからＤＤＴは地元民に歓迎されている」と記されている。

米軍は兵隊がマラリアやフィラリアに感染することを恐れていたため、周到な事前調査を行って感染予防対策を講じ、大量のＤＤＴを本国から持ち込んできた。風土病について事前に調査し、その対策を講じていたことは、敵ながらあっぱれと言わざるを得ない。

現在は製造中止になっているＤＤＴは、当時、ハエや蚊などの衛生害虫の駆除にはてきめんの効果があり、南西諸島地域の風土病であったマラリアやフィラリアの撲滅に果たした功績は大きい。

座間味村のフール

『座間味村史　中巻』座間味村役場　1989年）には、フールの建築資材である石材や石工についての詳細な言及がある。

座間味村阿嘉島の仲村氏宅の見事なフール

◆

石垣に、イチャチチ石（砂岩）やチブシ石、それに雑石などが使用された。阿嘉では、前者はイチブル石（内海の波打ち際に形成される砂礫岩）と称して石垣などに使用し、後者はチブサー石（リーフの内側で干出したサンゴの死骸が堆積してできると理解されている）と称し、豚小屋などの石材とした。これらの石は、座間味部落の場合は、向かいの安慶名敷、嘉比、それに安室島あたりから石細工伝馬（イシゼークーデンマ）で運搬されていた。

フールと新しいトイレの対比が面白い

ウヮーフル（豚舎）には畳一枚くらいの大きさのイチャチチ石を切り取ってきて使用していた。このような石工事は本島から来た石工（石細工主・イシゼークースー）といって親しまれていた）が、専門的に請け負っていた。

◆

離島のフールは沖縄本島の石工によって造られたことが詳しく述べられており興味深い。

砂礫岩にグンバイヒルガオの緑がまぶしい。

『粟国村誌』から要約する。

◆

豚は各家庭に1頭～3頭ほど飼育されていたが、品種は在来種

粟国の屋敷跡に残るコンクリート製のフール（平成11年）

の（アグー）であった。アグーは矮小で発育、肉付きも悪く1年ほど飼育して120〜130斤（約75キロ）程度で、那覇の豚商に売られていた。旧正月は各家庭とも1頭あて屠殺するのが習慣であった。大正中期からバークシャー種やハンプシャー種を用いて品種改良をした。昭和28年頃から発育が早く肉付きも良い米国系のランドレースが飼われるようになった。戦前は2103頭も飼われていたが、現在（1984年）では169頭しか飼われていない。

◆

沖縄の在来豚・アグーの名の由来となった豚どころ粟国村も平成16年4月現在1頭もいない。時代の流れとはいえ一抹の悲哀を感じるのは筆者だけであろうか。

渡名喜村のフール

『渡名喜村史（上巻）』の「養豚」の項を要約して紹介する。

◆

島の人々の現金収入の多くは漁業が主であったが、収入を得るもう1つの方法は、豚を飼うことであった。豚は他の農村同様、1〜2頭飼育され、その担い手は婦女子であった。渡名喜島で飼育された豚は「渡名喜豚（トナチウヮー）」

渡名喜の集落外れのフール跡。しゃがむ所が狭く後方から豚に乗っかられる。トゥーシヌミーの保存状態は良好

渡名喜の５連式のフール、資産家だったことがしのばれる

の名で呼ばれ、主に泊で売られていた。島で飼育される豚のわずかな頭数が島で屠殺され、残りの大部分は沖縄本島に搬出され売却された。

明治の頃は、豚や牛は帆船であるマーランで運び出された。そのため搬出に便利なように、子豚を生産していた。子豚を泊に陸揚げすると、小屋がけをしてそこで豚を売っていた。それは俗に渡名喜小屋と呼ばれていた。主な買い取り人は浦添の人々であった。売買にあたっては仲介人がいた訳ではなく直接取引がなされた。泊に持ち込んだ子豚を売らないと島に帰るわけにもいかず、足下を見られ不利な条件で取引せざるを得ない立場にあった。大正期になると、発動機で動く運搬船が本島との間を往来するようになり、搬出する豚も子豚から成豚へと変わっていった。

◆

フールが、今でも島のあちらこちらに数多く残っている。

このまま放っておくと雑木が大きくなり、やがてその根がフールを破壊する。

また雑草が生い茂りハブや蚊の発生源になる。定期的な管理が望まれる。

旧仲里村の平良家のフール。保存状態が良好。左手にシーリが確認される。説明板でわかりやすいのも良い

具志川村（現久米島町）のフール

（前略）当時は各家庭の離に石造りのウヮーフール（豚小屋）があり、養豚を副業としていた。私の家でも5匹ばかり飼っていた。当時の養豚は非常に不衛生でトイレ兼豚小屋であった。銀バエはブンブンうなり排泄するのに戦々恐々で、人間の排泄物を豚公はさも、おいしそうに食べている。用便をする度にお尻をなめられ、気持ちが悪かった。スイカの時期にもなると排泄物にスイカのタネが混じっているものだから、それを豚公はガリガリと食べなさる。まるで人間が漬物を食べるように歯切れが良かった。

（神山英一　於久米島「豚公のご冥福」
琉球新報『茶わき』）

上の写真は旧仲里村字宇江城の平良家のフールであるが、現在は久米島博物館に移設展示されている。

石垣市のフール

宮城文著『八重山生活誌』沖縄タイムス社　1973年発行にフリャー（フール）のことについて次のように述べられている。

フリャーは、屋敷の東南の隅に

屋根付きの豚便所（フール）八重山郡石垣町
転載元：『琉球建築』（田辺泰、巌谷不二雄著、座右宝刊行会、1937）

豚便所（フール）八重山郡石垣町
転載元：『琉球建築』（田辺泰、巌谷不二雄著、座右宝刊行会、1937）

キャクフリャー（客便所）があり、西北の隅にオーヌフリャー（豚便所）があった。客便所は、1メートル四方（半畳角）のこぎれいな瓦葺または茅葺の便所で、客用、家長用のものである。オーヌフリャーは、2メートル四方くらいを石垣で積みめぐらして豚を入れ、前の方に人糞を受けるトーシをつけ、囲いの上の方は、後半分を茅か板またはカサ石（くさびら石）で片流れに被い、豚小屋兼用の便所に当てたものである（中略）。昭和9年警察署、主婦会合同の生活改善の猛烈な運動によって、運動開始後1カ月そこそこで石垣市内は全般的に改善の実を結んだ。幾多の生活改善の中でもっとも意義深いのは豚便所の廃止であり、生活改善委員がもっとも目覚ましく活躍したのもこの問題であった。

　他面、悪口非難を浴びたのもこ

の時である。当時山口町長が主婦会の連合会長であり、筆者は副会長をしていたが、非難は会長には向かずに、攻撃の矢はすべて女の副会長である筆者に向けられた。宮城文の屋敷に行って用便して来たらよい、という人もいると聞いたが、ある日屋敷内に5つ、6つ並べられた黄色のピラミッドを見せられた時には、驚きあきれるやら、悔しいやら、恥ずかしいやらで、だれにも知られないよう、家族の胸に納めて我慢したことであった（後略）。

◆

衛生的、環境的に悪いと知りつつも、長期にわたって続いてきた悪しき風習を改めるのは並大抵のことではない。宮城さんの文章は体験したことをリアルに記したもので大変貴重な記録である。

右の2枚の写真は田辺泰『琉球建築』（座右宝刊行会）より転載したもので、先の宮城氏の本文とは関係ない。

上の写真は、豚小屋に瓦葺きの屋根が載っている珍しい写真。人様がしゃがむ所は露天だ。

下の写真は豚便所と新しい便所の両方が存在する歴史のひとコマを物語っており興味深い。フールに豚が入っているがトゥーシヌミーは塞がれている。

竹富町のフール

旧与那国家は、2007年に竹富町で初めて国の重要文化財として指定を受けている。

旧与那国家は竹富町の核となる住宅で、1913年に建設された

旧与那国家の正面風景。真ん中奥の小さな瓦葺きがフール

竹富島に現存する極めて珍しい赤瓦屋根のフール

とみられ、ほぼ正方形の敷地の中央に母屋と台所が並び、北東側に拝所（屋敷の守り神）、後方にオーシ（豚小屋付き便所）、そして東側にフクギの防風林と周囲を取り巻くサンゴ石のグック（石垣）で構成されている。

同面積の豚房が2つあり、広さは奥行きが170センチ、幅が130センチほどで、床にはきれいに加工した平らな40センチ四方の石灰岩が敷き詰められ、壁は大小さまざまな石灰岩で50センチほどの高さで四方が囲まれている。その上に柱が立てられ、屋根には赤瓦が載せられたゴージャスなフールである。

その姿から旧与那国家の由緒ある家柄をしのぶことができる。

豚様には雨風や暑熱を避けるために立派な屋根が付いているのに、人様が用を足すためにしゃがむ場所（フールの前）には屋根がない。このことからも豚がいかに大切な財産だったかを窺い知ることができる。

また、このフールには、もうひとつ他では見られない特徴がある。フールの横には石造りの小さなアーチ型の子豚専用と思われる豚房がある。これは極めて珍しい構造物であるが、別の屋敷にもこれと同じものが残されており、竹富島では成豚と子豚を分けて飼育していたことが窺える。

島選出の70代の町会議員に訊い

たところ、豚小屋としての利用は1970年代まであったようだが、トイレ兼用としてのフールは終戦後間もなく使われなくなった、と答えてくれた。

また、右の写真は竹富島に残っている珍しい赤瓦の屋根付きフールである。それにしても立派な豚小屋ですね。フールの前方にはトゥーシヌミー（人が用を足す溝）の形跡が残っているが、コンクリートで塞がれている。左手前のアーチは子豚用の豚房。

奄美大島のフール

ここに紹介するのは、名越左源太が描いた、じつに奇抜な図である。1本の丸太の上でお尻を出して、糞をしているところに、アグーと思われるたくましい黒豚がそれを狙っている様子を描いたものである。

あまりの奇抜さにこの図は住民を巻き込んで大論争に発展したそうである。

奄美諸島にいつ頃豚が入ってきたのか分からない。豚の記録で最も古いのは江戸時代末、嘉永3年（1850年）に薩摩から奄美大島に政治犯で島流しになった名越左源太の描いた絵である。

『南島雑話』より（奄美市立奄美博物館提供）

用便姿勢をとる北部農林高校生（伊野波彰氏提供）

辻の中道・火車小路（ヒーグルマースージ）の角（写真提供：那覇市歴史博物館）

人糞を豚に食べさせている絵だが、この飼育の一環が中国でのそれに似ていることから、年代は分からないが中国からの渡来であろうと考えられている。

前ページの並んだ写真を対比して見ていただきたい。石垣がないだけで全く同じ構図ですね。沖縄のフールは芸術的ともいえる構造である。おそらく世界中を見渡してもこのような立派な豚舎は見当たらないと思われる。

辻のフール

渡辺重綱著「琉球漫録」は、比嘉春潮著『蠹魚庵漫章』にも収録されている。文中には首里城、冠婚葬祭、市場や娼家等について当時の状況が詳述されている。なかでも娼家の項にフールのことが記されており、当時の辻の衛生状況を知る貴重な史料となっている。紙幅の関係でここでは以下のように大要を示す。

明治10年頃の話で、娼家とは遊廓のことである。それは辻、渡地（わたんじ）、中島（なかしま）の3カ所にあったが最も上等は辻であった。その中央を中道、南を端道（はしみち）、北を越道（こしみち）といった。また横道は56線あり、妓家が200戸余もあった。大きな所は20名、小さな所は5、6名に過ぎなかった。娼妓はおよそ1500名もいた。妓を尾類《ずり》と称し、皆一室が与えられ客を迎えた。

妓家は、上は養母から下は厨婦に至るまで全て女性のみ。島内には食堂や喫茶店や旅館はなく、一飯一宿すべて妓家に頼らなければならなかった。したがって料理店あるいは旅館といっても差し支えなかった。妓は客をとると、酒は泡盛、肴は豚肉や魚で、野菜も豚脂で煮る。それは中国人の割烹に似ている。唄、サンシンで客をもてなす。

酒を温めて客の背足をマッサージするなど客に対して至れり尽くせりのサービスを提供した。それは床に入るまでも続き、客の希望であれば徹夜もいとわなかった。

これよりフールに続いていく。

大便所は石を以《もっ》て箱の如《ごと》く造り、豚児を住ましむ。其《その》側面に石を置き小口を穿《うが》ち便を下す。直《じか》に箱内の豚児に就《つ》いて舐《な》むること精細一滴も残さず。豚児人の便所に至るを聞き鼻頭を尖《とが》らしフンフン喜色あり。若《も》し人放屁一発のみ出去れば彼甚《はなは》だ驚嘆失望の景況なり。小便は戸外庭隅及び石垣間の溝等に於《お》いてす。家作は周囲石垣一方に門戸を開く、溝の通利宜《よろ》しからず、臭気甚だし。故《ゆえ》に床上に丁子《ちょうじ》風呂を焚く（沈香丁子等七種アルコールに浸出し小炉上に置き蒸気を発出せしむ）佳香馥郁《ふくいく》芝蘭の部屋に入るが如し。又庭前には大葉名護蘭を置き、軒には松葉蘭を釣り提げ、其他《そのた》黄胡蝶三段花等の美葩《びばな》を植え立て、客を慰む。

（比嘉春潮『蠹魚庵漫章』ｐ１２１―１２４（株）勁草書房　１９７１年 参照）

遊廓は男性にとって天国のような所であったことが手に取るように分かるが、一方では豚と同居しており、しかも便所と一体であることから、その臭気たるや尋常ではなかったと思慮される。そのため当局からたびたびその改善方を指摘されていた。

その様子が「遊廓の便所さわぎ」の見出しで、明治40年2月7日の

辻の中道、巴楼と歓楽楼で夕涼みをするジュリ（遊女）（写真提供：那覇市歴史博物館）

琉球新報に掲載されている。

其筋の命により貸座敷に新たに便所を設置せしむると云えば他府県人には不思議にきこえるだろう。これまでの習慣として貸座敷も豚小屋と便用を共用し居るより大いに不潔をきわめているが、その筋の命により一時は各座敷は大いに狼狽し居たるも多数の協議により便所設置の費用は家の所有主に負担せしめることに決定し、家主は家の一間を取り除けば大きな損失となり仲々その要求に応ぜず其の筋もしばしば督促している。

明治40年頃は、水洗トイレのことについて、行政や一般住民にとっても全く想像もつかない時代である。改善をしたとしてもせいぜい汲み取り式のトイレである。汲み取り式のトイレの臭気の強烈さは大変なものであった。トイレにはアンモニア臭が立ち込め、ドアを開けると目から涙が出て、ドアを閉めてしゃがむと窒息しそうになるほど臭かった。昭和40年代前半、東京で学生時代を過ごした筆者のアパートは、1階に大家さんが住み、2階がアパートになっていた。部屋は4室あったがトイレは共同だった。1階の便槽につながった排管から立ちのぼる夏場の臭気は悶絶するほどすさまじかったことを思い出す。

恐縮ですが臭い話はまだまだ続きます。平成生まれ以降の若い人たちは、もうポットン便所の体験者は少ないと思うが、学校のトイレにまだ残っている所もあるようですね。生まれた時から水洗を使っていてそれに慣れた子供たちはポットン便所に抵抗があり、トイレを我慢する子もいるという。しかし将来、開発途上国で活躍したいという希望がある子供たちにとって、ポットン便所は貴重な体験になるはずである。

ポットン便所は便壺が満杯になると汲み取りが必要になる。フールの利点はこの汲み取りが必要ないことに尽きる。汲み取り時の臭いは周囲がはなはだ迷惑した。

辻は人の出入りが多いので便所は頻繁に使われる。したがって糞尿を溜める便槽は、たちまち満杯になり、汲み取りの手を煩わすが、フールは豚が人糞を処理してくれるのでその手間が省ける。豚の世話は尾類《ジュリ》として客をとれない幼女の役目だった。

さて、フールのもう一つの利点を見逃すわけにはいかない。そう、そこで飼われている豚はスカベンジャー(掃除人)として強力な助っ人となった。当時は各家庭でごみを焼却したりアタイグヮー(小さな畑)に埋めたりして処理していた。豚は雑食性のため、なんでも食べる。人糞はもちろん、料理に使えない野菜くず、客や従業員や尾類が食べ残した残飯などを綺麗に処理してくれる。まさに生きた廃棄物処理器といえる優れものだ。フールがなければこれらの処理に困ったはずである。おまけに最期は肉になって恩返しするのでこれ以上の有益な家畜は見当たらない。

ドキュメント❷　素晴らしいフールに出会う

２連式で他のフールよりも一回り大きい。後方のカブイは琉球石灰岩の表面を滑らかに削り、石と石の隙間がないほど緻密に積まれている。深さも90cmと効果的に風雨や日差しを遮る。

２０２０年2月21日、沖縄市池原在の松下宏さん宅に残る素晴らしいフールを見学した。ヤーヌクシー（住宅の後方）で存在感のある立派なフール。珍しく鉄骨とトタン屋根があり、今でも豚を飼っているのかと錯覚するほど。石柱やフールの構造から、造られた当初から屋根そのものは葺かれていたと思われた。

カブイは深く石積みは緻密で床もなめらか、人にも豚にも優しい造りになっている素晴らしいフールである。

奥田金松によるフールの報告書では、狭くて不潔・豚に運動もさせない・風雨や直射日光にさらされている・質の悪い琉球石灰岩を使って穴だらけなど、

床は豚の蹄を傷めないように凹凸がなくスムーズである。さらにトゥーシヌミー（人が糞をする穴）の細かい造り（人のため）や糞を受ける場所が、豚の頭部の出し入れが難なく出来るように配慮されている。

豚房を計測すると奥行きが2.6メートル、間口が1.5メートル、面積は3.9㎡≒1.2坪で、これまで観てきた豚房よりやや大きい。西洋種に合わせて造られた可能性が大である。
宏さんは昭和25年（1950年）生まれ。7～8歳までこのフールを利用していたという。しゃがんで用を足していると、豚がお尻を舐めにやってくるのが怖くて、穴より前で用を足すので、周囲を汚して父親に叱られたと話してくれた。大きくなった豚（西洋種は150kg～200kg）を出荷するときは、男数人が天秤棒で豚を担ぎ、やっとのことで外に出す。フールを造る際、なぜ搬出しやすいように扉をつけないのか、と不思議に思っていたそうだ。

写真提供：沖縄県公文書館

フールはさんざんな評価を受けたが、それと比べると、松下さんのフールがいかに優等生であるかが理解できる。

明治後期から、養豚はアグーから大型で成長が早い西洋種への移行を余儀なくされていった。上の写真の母豚は、首筋に白色の刺し毛が見られるハイブリッドのアグーである。これにランドレース種（白色）などが交配されて誕生したのが、２代目雑種の白い子豚たちだ。かなりインパクトがある写真。こうして純粋なアグーは次第に淘汰され、西洋種に変わっていった。

豚の大型化にともない、フールは手狭になり面積を広げる必要に迫られた。豚は、現金収入をもたらす貴重な財産であり、粗末に扱うことはできない。高品質の材質で、最高の技術力を持った匠が腕によりをかけて造ったフールは、近代、明治後期以降に建築されたものであろうと思われる。

後日談。２０２０年10月12日付沖縄タイムスに「アグー飼育　再現へ　名護の我那覇畜産フールを移設」との記事が掲載された。名護市大川の我那覇畜産が沖縄市内の旧家からフールを譲り受け、併設するミニテーマパーク「アグー村」に移設した。フールで実際にアグーを飼育する計画もあり、浄化槽も整備済み。人のトイレとしての役割はないものの、アグーを育んだ原風景を再現するために意気込んでいる。

新聞等で見るフールの話題

農村では、といっても戦前までほとんどが農村だったが、そこでは豚小屋とトイレが一体となったフールが一般的だった。新聞等で見る興味深いフールの話題を集めてみた（一部抜粋）。

❶筆者が小学生のころ、このフール（豚便所・図）を使用したときのことを書いてみたい。（中略）案内されたフールは青天井で丸見えの状態だった。きょろきょろしながら座る。そのときだった！いかにも先祖は猪《いのしし》だという感じの豚がブウブウと脅迫がましく排便を要求した。これは、もう無我夢中の世界だった。とにかく、すごい恐怖の中でことは終わり、今日生きて、この文を書いている（後略）。

（嵩原安一郎　建築家　2002年5月10日　週刊タイムス住宅新聞　第865号）

都会っ子の嵩原さんのフール初体験談である。びっくりしたでしょうね。イノシシのような真っ黒いアグーが鼻を鳴らして「早くしろ、何をもたもたしているんだ」と催促したら、恐怖のあまり出るものも出なくなりますよね。よく頑張りました、嵩原さん。

❷何とも言えぬフールの風習

那覇市の田原公園の一角に昔のフール（豚便所兼トイレ）を見つけた。傍らの説明文を見ると「このフールは、宇田原のフェーメーシチャグイ家（屋号）にあったものです。明治の終わりごろから大正の初めごろ造られた」と書いてある。

物心ついたころ、わが家にもフールがあった。記憶は遠い昔にタイムスリップ。豚と同居していた生活が思い出されてきた。当時はどこの家でも屋敷内に豚小屋があって、用を足すのはこの豚小屋だった。それを豚が、きれいに始末してくれたものだった。

今考えると妙な話だが、豚小屋

那覇市小禄の田原公園に移設されたフール

の上で辺りの景色を眺めながら用を足した。下では豚が早く早くと催促して、鳴き声を上げていた。時にはお尻を小突かれることも。

とにかく大変な風習だったと思う。しかし、このように対面してみると、なんとも言えない懐かしさがこみ上げてくる。

（池間金蔵78歳（当時）那覇市　2003年4月24日　沖縄タイムス）

池間さんも豚に小突かれながら用を足したという。田原公園の一角に移設されたフールから幼少期を思い出したそうだが、移設された場所は筆者自宅から徒歩7〜8分ほど。実践教育としてフールを活用中の現場である。

❸かつての沖縄は、どこの家でも豚を飼っていました。30年ぐらい前まででしょうか。大概は各世帯で2頭ぐらい。戦前は、屋敷内の、自分の住家とは離れた所に石で囲った小屋があったものです。畑から上がってくる物でこの豚を養っていました。芋のくずとか、食べた後の芋の皮とか。家のトイレも豚小屋にあって、豚が食べて、残りは肥溜めに流れていくというわけです。北中城村の中村家（国指定重要文化財）に行かれたら、今でも（その跡が）見られます。

時代が変わって、その後は家庭で出た残飯を与えるようになったと思います。馬や牛にも。今の生ゴミですが戦前は捨てる物などな

中村家に残る芸術的なフール

かったですからね。その後は（豚小屋は）臭いということで、住宅地域からなくなってしまいました。人間の生活環境とは離れた所に、次第に集約されていったというわけです（後略）。

（話者 宜野湾市喜友名 知念清徳 86歳（当時） 2002年1月17日 沖縄タイムス）

❹1996年5月6日 琉球新報の都市点描シリーズ70にカラー写真入りで紹介されたフールである。しばらく経ってから新垣さん宅を訪問し、写真を撮らせてもらった。

主のいなくなった〝家〟はひっそりとしていた。ブーブーという声はもう聞こえない。雑草が生い茂り、グアバの木が一本大きく枝を伸ばしていた。

那覇市首里末吉町の新垣英一郎さんの自宅の敷地に残るフール（トイレと豚の飼育小屋を兼ねたもの）。末吉の集落ができたころからあると思われ、造られてから二百五十年以上たつと推定されている。

「実際に使われていたのを憶えていますよ。小さな豚が穴から顔を出しておしりをなめてびっくりさせたという話もあります。沖縄戦の前に『衛生上よくない』という理由で役所から使用を止められたといいます」と説明した。

沖縄戦では新垣さんの家も砲撃を受け壊れた。フクギの木も倒れるすさまじさだったが、フールは無傷で形をとどめた。しかし戦後、

フールに生えたグアバの木が印象的だった

二度と豚が飼われることはなかった。休日に遊びにくる新垣さんの孫たちもフールの存在に気付いていないという。

フールが生活の一部だったのはもう昔のこと。市内に今、どれだけ残っているだろうか。「文化財に」という話もあるが、新垣さんは「私が生きている間は壊さずに残しておきますよ」と笑ってこたえているという。

沖縄戦で焦土と化した那覇市内で無傷で残った貴重なフールである。新聞に掲載後に訪ねてみたが、フールの内部に雑木が伸びており、そのままではいつか木の根っ子にフールが壊されてしまうのではないかと気になった。

❺中国にもウヮーフール

浦添市美術館で開催されている兵馬俑と秦と漢帝国の至宝展を見てきた。紀元前2世紀に中国を始めて統一した秦の始皇帝の墓から発見された実物大の兵隊たちと、その後の漢時代の墓から発見された遺物の展示だ。（中略）

漢時代の遺物の展示品の中に、40センチくらいの大きさの豚舎の模型があった。一頭の豚が（イノシシと説明されているが）囲われ、その上に小屋が設置されている。説明によると、これはトイレであった。沖縄のウヮーフール（豚飼育場）と同じものだ。あらためて沖縄と中国の結びつきを考えさせられた。

しかし、これが造られた当時、二〇〇〇年後に海を渡って沖縄で日の目を見るとは、だれが想像しただろうか。そんなことを考えながら歴史は本当に面白い。

（安藤邦夫49歳（当時）具志川市　2000年4月17日「声」琉球新報）

この至宝展は筆者も観賞した。目的はもちろん安藤さんが述べている緑釉陶猪圏を直に観るためだった。で、帰りに展示品に関する本を買い求めた。拙著『沖縄トイレ世替わり』に掲載するため、写真の使用許可願いのためだった。が、ていねいに断られた。仕方がないのでその写真を基に描いたのがこの図である。

蛇足だが、中国、台湾ではブタを豚と書かずに猪と書き、イノシシは野猪または山猪と書く。だから中国・台湾の干支の絵はイノシシ（野猪）ではなくブタ（猪）になっている。ややこしいが要するに中国や台湾はもとより中国から漢字を借用したベトナムや韓国の干支の絵もイノシシではなくブタになっている。1人日本だけがイノシシになっている。十二支の導入時に猪をそのままイノシシと勘違いしたからか？

豚は産子数が多いので子孫繁栄や蓄財につながり、過酷な飼育条件や粗食にも耐え、残飯や人糞を食って肉を生産してくれるきわめて有用な家畜である。そのため、前述の国々では十二支の中でブタ年が最も慶ばれている。

緑釉陶猪圏（中国・漢時代）の図
（『兵馬俑と泰・漢帝国の至宝』から筆者が模写）

ユウナの葉は、トイレのあとに尻を拭くのに使われた

第二章

本章では、フールの呼び方から信仰、屋敷内での配置や昔話まで、フールをめぐる文化について広く紹介したい。

フールをめぐる琉球の文化

呼び名や信仰まで、フールをめぐる文化あれこれ

フールの呼称

フールは沖縄のいたるところで存在が確認されているが、一般的に、豚小屋（豚舎）と便所は同意に使われている。鶴藤鹿忠は『琉球地方の民家』の中で、「琉球列島のほとんどの島で、豚舎と廁は同義語であるように、豚舎の端が廁となっていて、豚舎との境、石造りの床に長方形の小さい穴を開けて廁とし、この穴に豚舎側から横穴をつけて豚が頭を突っ込んで人糞を食べるようにしていた」と述べており、便所と豚小屋の呼称はどの地域においても大体同じとみていいようである。

次ページ表は、各地の便所と豚小屋の呼称について記したものである。

鶴藤氏は自分の脚で各地を調査し、『琉球地方の民家』で、特に八重山地方のフールを詳しく紹介している。

●与那国島

豚舎はサンゴの石造りのものが多い。豚肉は平素食用とし、また第2次大戦中までは台湾へ輸出していたほどである。廁は「フルヤ」という。豚舎に隣接したところで用を足し、大便と小便の区別はない。

●西表島

祖納、星立「フリヤー」「フールー」といい、コンクリートの囲いに草屋根を載せたものが多くなっている。豚舎の端の一面を廁にあて、露天であるのが普通で、雨降りには笠を冠って使用するが、大雨の時は困ったという。

●石垣島

豚舎は「フリヤー」（川平）といい、廁は「ウアニヒー」「フル」（白保）という。大正初期まで豚舎の

地域名	豚舎の呼称	厠の呼称
久高島	ワーヤー	フル
久米島	フル、フール、ワーフル	ワーフル、フル、フール
津堅島、粟国島、久志村、勝連村、美里村、石川市	フール	フール
国頭村、大宜味村、上本部村	フル、フール	ンル、フール
宮城島、玉城村	ウワーフル	フル
伊平屋島、那覇市首里、糸満町	フル	フル
宮古島	ワヌヤ、ワヌヤー、プズ、フル	フゾウ、プズ、トウズイ
多良間島	ワーヤー	フル、フール
小浜島	ワンタニヤー	フーリヤー
西表島	フリヤ、フールー、フリヤー	
石垣島	フリヤー	フル、ウアニヒー
波照間島	ウウァヌヒー（豚はウウァ）	
伊是名島	ワーヌーヤ	
八重山黒島	ワーマキ、トンヤ	
与那国島		フルヤ
池間島		ヒシ
奄美大島	ブタヤ、ブタゴヤ	
沖永良部島		カンジョ、チョーズバ
加計呂麻島		ユージンヤ（用便屋）、マナカ（大便所）

鶴藤鹿忠『琉球地方の民家』より

隣で用を足し、人糞を豚が処理していた。近年は豚舎と別建ての大体「三尺四方」の厠を造っているが、露天の厠が少なくない(白保)。

フールの語源

基本的には八重山地方でも沖縄本島と同様、「フール」または「フル」となっている。

「フール」や「フル」の語源はどこから来たのであろうか、興味深いテーマである。

比嘉春潮は、「沖縄の圀」の中で以下のように述べている。

◆

養豚と便所を兼ねた「ふろ」は、漢字の圀の字をあてるのが適当ではなかろうか。圀に於ける人と豚との交渉する穴を「東司の穴」というが、東司は禅家で厠のことだというから、仏教伝来後の言葉であろう。ふろは、茶屋の風呂から湯槽→浴場→手水湯と転義して、沖縄で便所ということになったのであろうか。厠を出て手を洗う慣習は、或いは日本人が、かつての生活に於いて、厠を川屋という如く、排便を水に関連してなした風習の名残でなかろうか。この頃はどうか知らないが、沖縄では以前は女は便所で、必ず水を使ったもので、その水を入れる器を「水こぼし」といった。「水こぼし」という言葉は、また茶道のそれとも関連するもののように思える。

（比嘉春潮「沖縄の圀」『沖縄文化叢論』参照）

◆

「水こぼし」をウチナーグチで言えば「ミジクブサー」となる。沖縄の女性は昔から清潔だったのですね。

7～8年前、この話を親友の宮里栄徳氏にしたところ、彼は知り合いの壺屋の陶工に特注し、私にそれをプレゼントしてくれた。左上の写真がそれである。宮里さんありがとう。このページをお借りしてお礼を申し上げる。

話を戻そう。比嘉は仏教と茶道から「風呂」すなわち「フル」の語源を導き出している。これも面白い説だと思うが、いまひとつすっきりしない感じがするのは筆者だけであろうか。

「フル」に関して、伊波普猷は「フカダチ考」の中で言語学的な見地から以下のように述べている。

「水こぼし」。なかなか芸術的（直径29センチ、高さ11センチ）

> フルは豚のいる場所に限って、用いられた名ですが、豚のいない所も屋（ヤー）プルというようになりました。フルは宮古八重山の方言では、puri であるべき筈だのに、これが furi になっているのは、沖縄語から拝借した証拠で、フルもまた沖縄語固有の語ではないような気がします。国語の風呂と関係があるという人もありますが、私はその語源については、まだ考えていません。

伊波はこのように、フルの語源について、沖縄固有の語ではないようだという説をにおわせている。比嘉がいう風呂から導き出された説を暗に否定し、次に述べる金城の説に賛同する気配もあるが、あえて論争にくみしないところを察すると、まだまだ研究の余地があるということかも知れない。

次いで金城朝永「厠に関する習俗」に着目してみよう。

> 同地ではこの厠のことを「フル」又は「フール」と称しているので一部の学者はその構造や音韻の類似から推して日本の風呂の転訛し

た語であろうと云っている。

しかし琉球の厠も昔から今の形ではなく、天保の頃薩摩の吏士の手になった『南島雑話』の大島の厠の絵を見ると、かなり広い場所に円形の柵を廻し、大きな丸木を横たえて、その上で糞便を垂れるようになっているが、これが琉球の厠の古い形であると考えられる。

台湾蕃人の中にも豚小屋を便所に代用しているのは前に述べたが、琉球でも豚を飼うのが最初で、後にそこを便所に代用するようになり、これが合理化されたのが現今の形であるとすれば琉球の「フル」「フール」の語も何か豚に関係のある外来語で、琉球本来の語ではなさそうな気がする。又、豚を飼う風も決して琉球本来のものでなく、これは多分支那伝来のものである。


（金城朝永「厠に関する習俗」『珍奇妖異態風土記』参照）

◆

確かに「風呂」のことをウチナーグチで「ユーフル」といい、直訳すれば「湯風呂」になる。便所で用を足した後、水で洗い流すだけであったので、あえて「湯（ユ）」を省き「フル」にしたのかも知れない。

こじつけではあるが「風呂」が「フル」に転訛したことは考えられないことではない。

比嘉の説と金城の説、どちらもそれなりの根拠がある。金城の説は外来語説をとっている。友人に福建省出身で豊見城ムーク（婿）、沖縄滞在歴20年以上になる、日本語ペラペラの盧姜威さんに豚のことを福建語でなんというのかと訊いたところ、躊躇なく「ウヮー」と言われて、一瞬耳を疑った。また、グアバのことを「バンシルー」というらしく、ウチナーグチと福建語との関連がことの他深いことがわかった。

そこで期待して便所のことを訊いたが、残念ながら期待外れであった。伊波普猷もまた「南島方言史考」において、福建語の仔《ワー》（＝こぶた）の転訛であろうと推定している（『伊波普猷選集』中巻・

323頁)。

さらに調査を進めていくうちに、源武雄が別の角度からフールの語源について言及しているのを見つけた。

◆

> 沖縄では、フルにはセジ高い神がいると信じて、便所神の信仰が発達している。それで、沖縄方言のフル又はフドゥーというのは、不動明王の不動ではないかと考えられないこともない。不動明王は仏の使命を受け、怒りの姿を示して悪魔をくじく明王の大王だと信じられている。それで便所の神がセジ高いといわれているのは、この不動明王の神が便所におると古代の庶民は信じていたかも知れない。とにかく、沖縄にはフル神に関する信仰が根強く残っている。
> (源武雄「豚便所漫談」『月刊青い海No.94』)

◆

そして、『沖縄県史』第22巻・各論編10・民俗1・184頁にはこう記されている。

◆

> 沖縄では豚小屋のことをフルという。中国語辞典をひもとくと圂と書いてフンと発音し、豚小屋を意味する。豚小屋のことを圂児(フンル)とも言うのであれば、沖縄のフルはその転訛ということになるのだが…。昭和の初めまで飼われていた豚の品種(口の出っ張った小柄の黒豚―広東豚)・豚の呼称・儀礼の食品として不可欠のものであること・豚の飼育法などからして、豚文化複合(ぶたぶんかコンプレックス)は、福建から沖縄本島にもたらされたものであろう。

◆

この文章はなかなか説得力があり、筆者もこの説に賛同するものである。

屋敷におけるフールの位置

また、豚小屋を「ニシ」という言い方もある。ウチナーグチでは方角の北のことをニシという。民家は一般に南向きに造られており、便所は裏の方、すなわち北側に在るための呼び方である。その他にも「ヤーヌクシー」という言い方もあるようだが、これは家の後方という意味である。

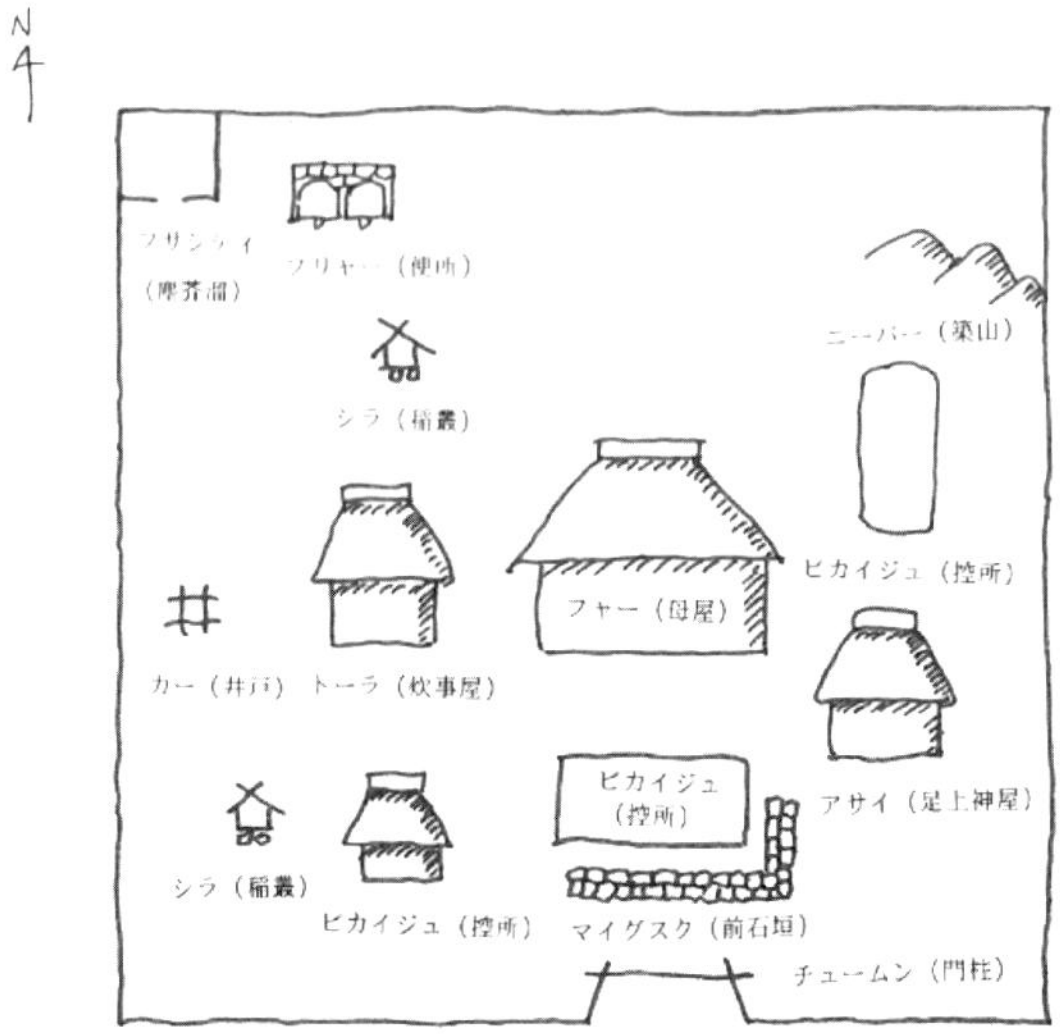

宅地内の配置（八重山、筆者作成図）

◆

静岡県にも便所のことを〝キタノカタ〟という言い方があり、沖縄の方言で言う〝ニシ〟と同じ表現である。同県には他にも〝ウラ〟という言葉もあり、これまた「ヤーヌクシー」と同じ発想である。英語でも便所のことを〝Back house〟（後方の家）という言い方をすることもあり、これらの古典的表現から、古い時代の民家における便所の位置が見当付けられ、洋の東西を問わず同じ表現があるのは興味深いことである。

◆

と金城朝永は「厠に関する習俗」で述べている。おもしろいですね。他県にも似たような言い回しがありそうな気がする。

また、宮良当壮は、「琉球諸島に於ける民家の構造及び風習」の中で、「宅地の広さは普通四、五〇間四方で屋敷といわれ、その周囲に石垣を巡らせている。屋敷の中央より東側に母屋があり、その西側に炊事屋がある。この2棟は原則的にどこの島でも見られる。貴人の屋敷にはピカイジュ（控所）

と呼ばれる一棟が炊事屋の前に在り、神祭りをする家ではアシャギ（アサギ、アサイ、足上）が母屋の前に在る。井戸は炊事屋の西側、便所（フール、フリャー）や塵芥を捨てる所（草捨て）などは西北側に設けられている。これが八重山地方の一般的な屋敷の配置である。」と述べており、ここでも便所は屋敷の北側に位置していることが分かる。

　さらに仲原善忠は、「久米島の住居」の中で、「島では余程のことがない限り母屋は門から向かって、右側になっている。現在、母屋と台所の別棟が昔のまま残っているのは非常に少ない。畜舎は大方、図に示した位置に建てたが屋敷内の井戸や納屋の配置上、台所の側面か豚舎と並べて建てたのもあった」と述べている。

　石垣や久米島などの離島のフールは前述のとおり、屋敷の北側に位置していることがわかったが、次いで本島内の屋敷におけるフールの位置についてみてみよう。

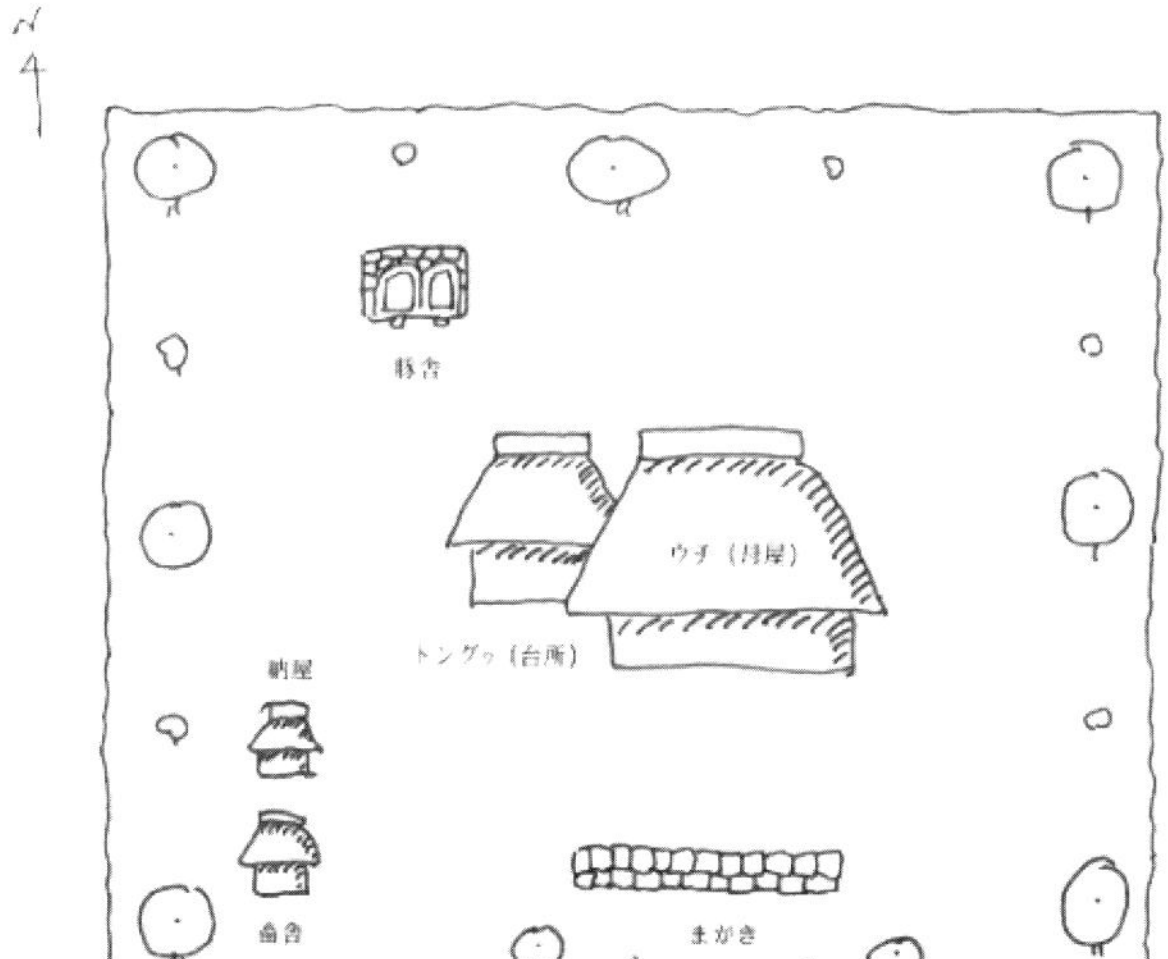

宅地内の配置（久米島、筆者作成図）

　沖縄の強烈な日差しのなかで、フクギの緑、白い漆喰と赤瓦のコントラストも鮮やかにたたずむ中村家住宅は、沖縄本島中部の北中城村にあり、建築後250年ほど経過している。

　中村家は、かつて地頭を務めたこの地の名家である。屋敷は豪農の暮らしを今に伝え、戦前の沖縄住宅の建築

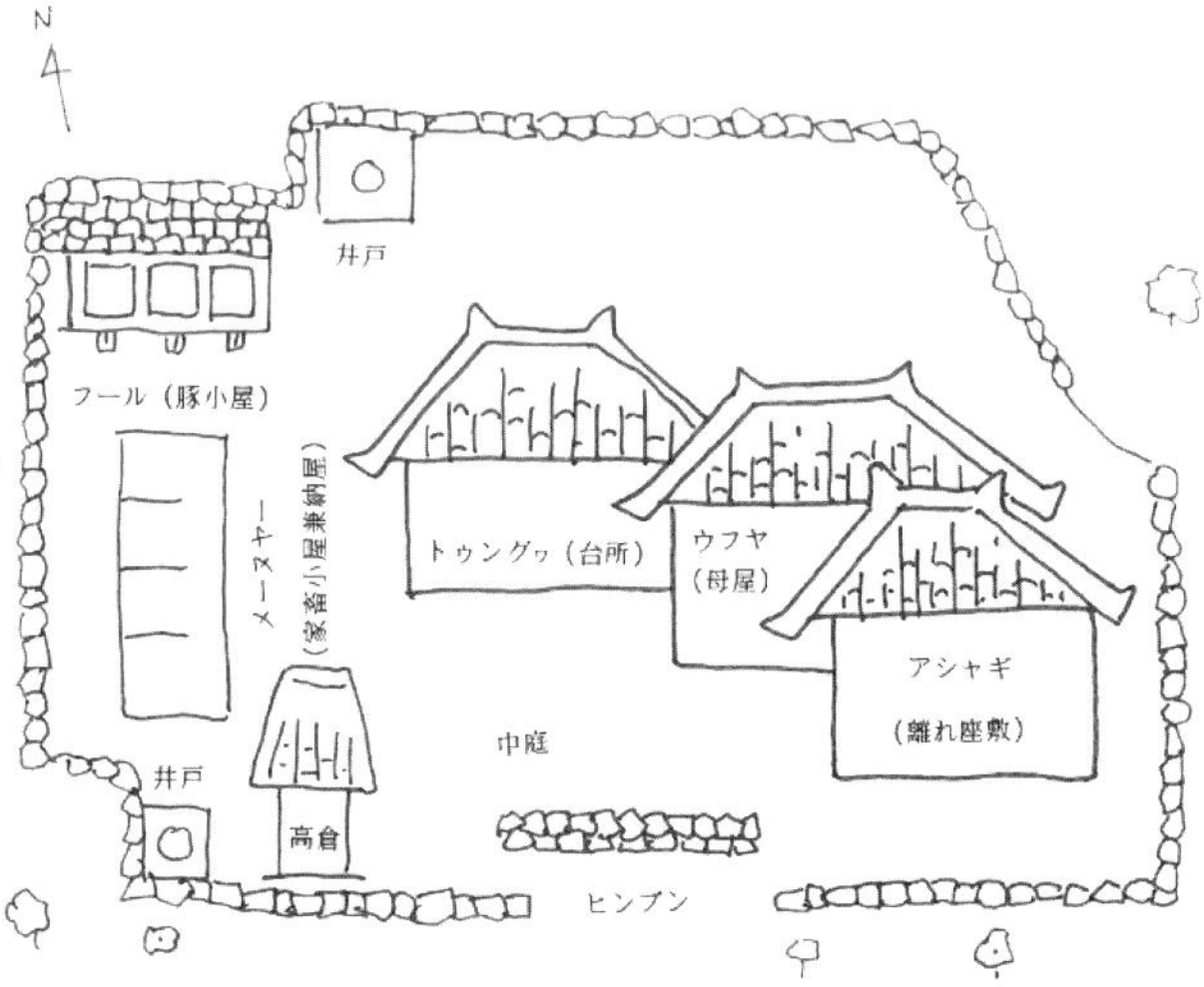

中村家住宅見取り図（筆者作成図）

の特色をすべて備えている建築物として、国の重要文化財に指定されている。

中村家のような名家になると、中庭の東側に貴人や役人の宿泊用のアシャギ（離れ座敷）が建てられていることもある。台所は三番座のさらに左にあり、不浄なフールや家畜小屋は屋敷の北西の隅に別棟で設けられている。つまり、屋敷に入って右手、東側が「ハレ」の場、左の西側にいくほど日常の「ケ」の空間になっているのだ。

次いで、沖縄の民俗について詳しい源武雄による『日本の民俗　沖縄』からフールの位置とフールの現状についてみてみよう。

畜舎は牛と馬は同一棟に飼っている。ウマヌヤ（馬の屋）・ウシヌヤ（牛の屋）という表現をする。この畜舎は炊事屋に向かって左側に造られている。富農の家の畜舎は瓦葺で中2階になって若者たちの寝床に使われているところもある。

便所のことを沖縄本島ではフール、宮古・八重山地方ではフーリヤというが、その位置は炊事屋の左斜め後方に当たる位置に造られている。戦前、沖縄の便所は養豚所を兼ねていたが、戦後は衛生上のことを考慮して政府がその兼用を禁止して行政指導にあたったので、今ではそんな便所は沖縄のど

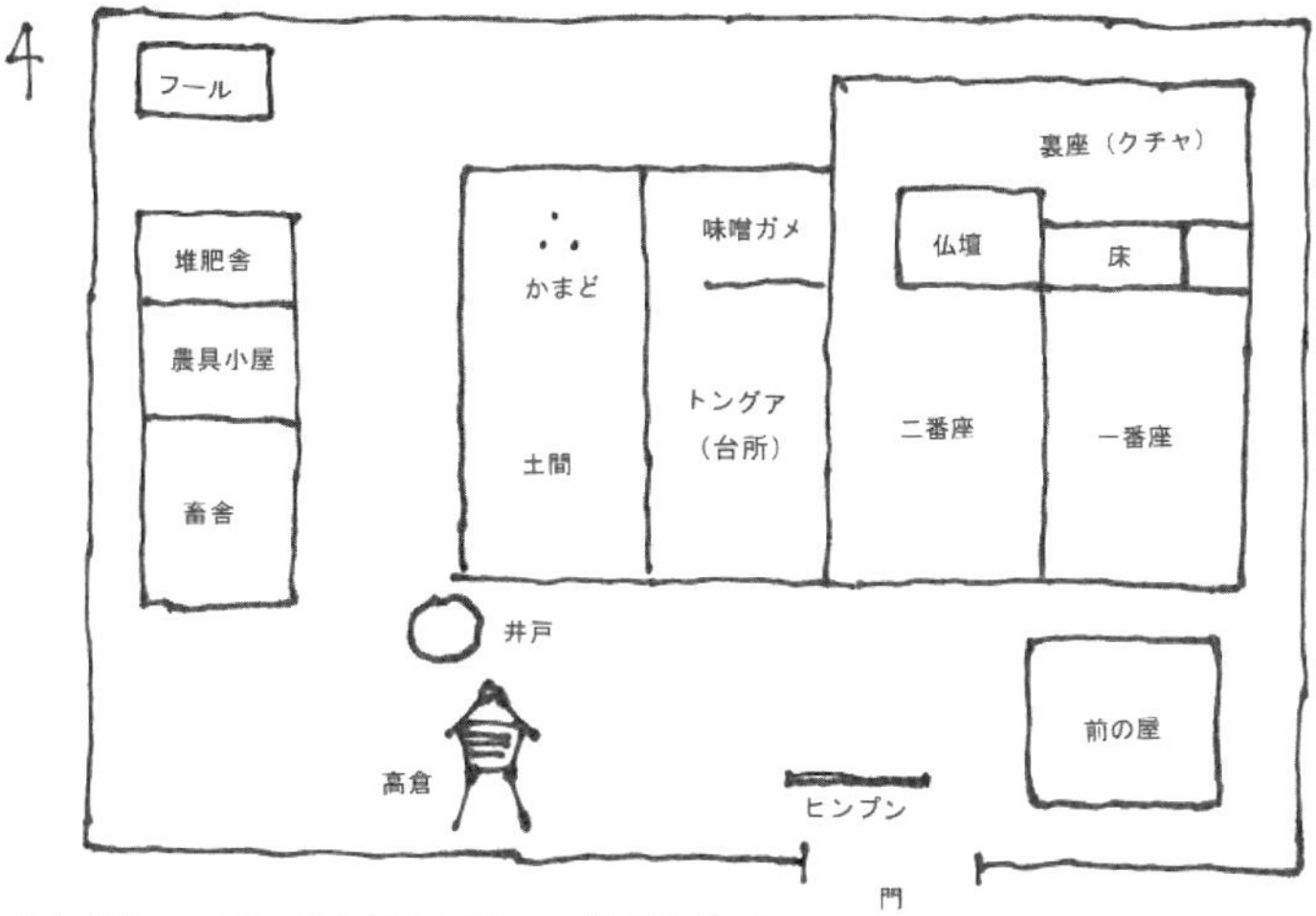

沖縄本島中部地区の農家の建物配置と間取り（筆者作成図）

こをたずねても便所と豚舎をきびしく区別して別棟にしている。

源は、戦後当局の指導のもと、フール（豚便所）は沖縄中どこを探しても見つからない、と豪語しているところが印象的である。

おそらく彼は現状をよく把握していたと思われるが、フール使用の実態は屈辱的で不名誉なことだけではなく、人糞を豚に食わしている沖縄の劣等的悪習を全国に知らしめる必要は全くなく、「臭いものには蓋を」との理由で、そう強調したのではないかと私は見ている。

フールと信仰

現在の沖縄では、便所はほとんど家の中に造られており、フールに対する信仰も時代とともに廃れてきた。かつては各地で決まった日に線香をたいて祈りを捧げたようであるが、この風習は今ではほとんど見られなくなった。

ここでは貴重になったフールの信仰について考察することとする。まず鶴藤鹿忠が昭和47年に著した『琉球地方の民家』の中で「厠神」について、沖縄各地のフールの信仰について述べているので注目したい。

琉球列島では最近まで豚舎兼用であった。屋敷御願のときには屋敷の四隅と豚舎を拝んでいるところが多い。厠神の呼称をあげると次のようである。

「フルヌカン」　久米島、伊是名島、久高島

「フーリヤーノカン」「ワンターナノカン」　小浜島

「フルナブヤー」「フルヌカミ」　宮城島

「フズヌカン」「ミュウ」　宮古島城辺町

与那国島では厠神は一番親しい神である（比川）。厠、井戸、カマの兄弟である。この三種の神のうちで誰が厠神になるかといってもなり手がない。結局一番美人の神が厠神になった。きれいな神だからきれいにしないと怒られるという（祖納）。唾を吐いたら厠神の顔にかかるから吐いてはいけない。汚い所にいる神で、えらい神とされた。井戸の石は厠に使わないが、厠の石は井戸にも使えるともいう（比川）。久米島仲里村では「フルヌカン」が荒れると豚が元気がなくなるので、そういうときに「フルヌカン」を拝む。「フルヌカン」は盲目である。「フル」の前で目の悪口を言ってはいけないといっている。

おもしろいですね、これと似たような話は沖縄の各地にあるようである。

いずれにしても便所を清潔に保つための先人の知恵であろう。フールの信仰については面白い話がたくさんある。

昔の人は、よその家を訪ねるとき、一応、チャービラサイ（ごめんください）と合図してからフールまで行って、豚の様子を窺い、引き返して、イイ、ウワー、カラトーイビールンナー（良い豚を飼っていますね）と、あいさつ代わりにしたものである。また、客人は、豚だけでなく家畜や屋敷の風情をほめはやしたものである。

フールには「フールの神」が宿っているといって古老たちは、トゥイ・シチ（節日）には、フールに香をたいてたむけ、フーチ、ヤンメー、ネーラングトゥ、マギウワー、ナチウタビミショーリ（疫病もなく、大きな豚になるようにご加護ください）と祈願を捧げたものである。また、夜など外出して、ヤナムン（魔物）に出会った時など、帰宅すると必ずフールまで行って、寝ている豚を起こしてから家の中に入る習わしがあった。フールは、昔の人たちの生活のよりどころであった。

（青山洋二「豚と暮らしと信仰」『青い海』No.94）

当時、世の中は豚を中心に動いていたことが手に取るようにわかりますね。

それにしても豚にとっては寝ているところを起こされ、トンだ迷惑な話である。

確かに気付かれないように、こっそり豚小屋に行くと寝ていた豚は俊敏に反応し、一瞬ひるんだ後パニック状態になる。その騒々しさが、魔物を追い払うと考えたのであろう。

沖縄ではフドゥーの神は屋敷神として信仰してきて、それでまず屋敷のウガンをする時は、必ず門、屋敷の四隅とともに便所も拝んで

いる。

夜間外出して、魔物（つまりマジムン、ユーリーなど）に驚いて帰ったときは家に入る前に豚便所に行き、豚をおこしグーグー鳴かし、それで魔物が退散したと考えて家に上がる習慣があった。

たとえマジムンに出会わなくとも信心深い古老たちは、夜間外出から帰ってくると一応は豚便所へまわってから座敷へ上がった。

それから、頻繁に行われたのはマブイグミのときの便所おがみである。

沖縄の人はマブイグミというのをよくやった。子どもが外出して魔物にあって驚いたら、それが原因となって体がやせる。医者にか

かっても治らない。そんなときにはマブイグミをした。マブイを落とした場所がはっきりしていると現地に行ってやるが、場所が不明だと便所で便所神を拝んだ。マブイグミはユタがやった。

(源武雄「豚便所漫談」『月刊青い海No.94』)

なるほど、源はフールの語源を不動明王に求めましたか、これも面白い説ですね。

夜間帰宅したときには、まずフールへ行き、寝ている豚を起こしてから家へ入ることやマブイグミの風習は、先達が述べているように、県下では普遍的に行われていたようである。

また、金城朝永もフールヌウグヮンの由来について、「厠神及民間信仰」『珍奇異態風土記』の中で以下のように記している。

同地(沖縄)では厠神の存在と云うことに対して、明瞭な観念は有していないが、唯厠神の屋根の上に一個または数個の石が据えられていて、「屋敷の御願」の時にこれを「トウシヌミー」(糞を垂れる穴)とともに拝することはある。これを「フールヌウグヮン」(厠の御願)と称して、決して忘れずにやっている。

口碑によると、此風は二百余年前、時の宰相具志頭親方(蔡温)が島民の敬神深い心理を利用して、厠、井戸、屋敷の四隅などに各々神がおわしますから常にこれを清めねばならぬと教え、自ら礼服を着して拝したに始まると伝えているに過ぎない。

と金城は述べるとともに、日本における厠神及び厠に関する俗信の多くは、支那思想や仏教などの影響と共に後代の日本神道における信仰上の合理化なども手伝い、これらのものが互いに混入錯雑し合って、種々の形に発達して、現今に至ったものではないかと思う。と付け加えている。

２００３年７月17日発行の「週刊ほ～むぷらざ 第８４６号」に、沖縄県文化財保護専門委員の崎原恒新が寄稿した興味深い文が掲載されている。

　長くなるが記しておきたい。


　沖縄では昔から、フール（便所）に神様がいると信じられており、「フールの神」と呼ばれている。本土では「厠神（かわやがみ）」あるいは「雪隠神（せっちんがみ）」と呼ばれている。また、京都や岐阜などでは、屋敷内にいる神々の中でも特にえらい神様（マササル神）として位置づけられている。

　戦前までは、豚小屋と便所が一体となったいわゆる「ウヮーフール」が、たくさんあった。魔物などに追いかけられた時、フールに駆け込み豚を起こせば豚の叫び声に驚いて魔物が逃げるといわれていた。夜遅く帰るとフールで寝ている豚を起こしてから家に入ったという話もある。起こされた豚にとっては迷惑ですね。また、沖縄では、生まれた子どもの健やかな成長を願うお披露目の行事として、ハチアッチー（初歩き）が行われる。久米島の『ながたきまーち』という冊子によると、出産9日目に行われるその行事の際には、まず便所を拝んでからスタートするという。本土では子どもが生まれると便所にお参りする「雪隠参り」という風習があるが、沖縄でそうするのは特殊なやり方である。

　また、本部町具志堅では、ものもらいや流行病の際、便所にモーナ貝と古クシを下げてまじないしたと言われている。

　戦後、公衆衛生上の問題からウヮーフールは衰退したが、フール神の信仰は儀式を中心に今なお残っている。恐怖やショックなどで放心状態になると、マブイ（魂）が抜け出たとされ、それを身体に戻すための儀式「マブイグミ（魂込め）」が行われる。マブイを落とした場所で行われるのが常だが、落とした場所がわからない場合は便所で行う。

その他にもフールにまつわる風習として、ウヮーフールやヤーフール（屋根付き便所）の壁には、木製のお札（フーフダ）が張り付けられていた。現在でも室内にあるトイレに紙製のお札を貼っている家も少なからずあるようだ。

フールの神は大変便利な貴重な存在。いつまでも鎮座してもらわないと困るものである。

第三章
文化財になったフール

常々、地域に放置され朽ち果てていくフールを観て、だれかが大切な宝物だと早く気付いてくれないか、と歯がゆい思いでいた。

しかし幸いにも、一部の地域ではこの重要性に気付いて、崩れかけているフールを移築したり修復したうえで、歴史・文化教育や観光に活用している。韓国の済州島やフィリピンの民俗村にも同様なフールが存在し、観光にも一役買っている。

地域で眠っている、あるいは崩壊しかけているフールにスポットを当て、地域おこしの起爆剤として活用していただければと願って、このページを設けた。

一つだけ心残りがある。那覇市壺屋在の新垣家住宅は沖縄陶業の拠点であった壺屋地区に唯一残る陶工の住宅であり、フールもしっかりと残存しているが、2006年から09年にかけ、窯や屋根の崩落が続き、存続が危ぶまれていた。そこで09年5月から、国、県、那覇市がそれぞれ費用を分担し修復中で、しばらくの間、住宅地内には一歩も入れない状況であり、ここに収録することができなかったことを申し添えておきたい。

源河ウェーキは、名護市字源河にある古い屋敷跡で、源河集落の小高い丘の上に建っている。この地に屋敷が建てられたのは19世紀はじめと考えられている。数十年前から人は住んでいないので、母屋は古くなり、平成5年（1993年）に解体された。（名護市ホームページより）

名護市指定文化財・建造物

名護市源河ウェーキヤー跡の4連式フール

ウェーキンチュとはウチナーグチでお金持ちや資産家のことをいう。ウェーキヤーとはお金持ちの家のことである。

常とう手段で、最初に自治会事務所を訪ね、フールのことを訊いたところ、女性の担当者は親切に対応してくれた。何とウェーキヤー跡はおそれ多くも名護市指定文化財（建造物）になっているのだ。そうなるとフールもかなり期待できる。心ははやる。

事務所裏手の小高い丘の上に丸い家が見えるので、その手前を右に行って下さいとのこと。細い道を上っていくと二股に分かれる道があり、そこに車を停めて右手の道を歩いて上っていくと間もなく立派な城壁を彷彿させる石垣が見え、さらに上っていくとまるで城址のような広い場所があり、その端っこ（北側）に4連式のフールが「ようこそ、いらっしゃいました。お待ちしておりました」とばかりに私を歓迎してくれた。

屋敷内の建物の配置跡から、屋敷の

まるで城壁のような素晴らしい石垣

やや荒っぽい造りだがその姿は美しい

トゥーシヌミーにつながる所

カブイも見事に造られている

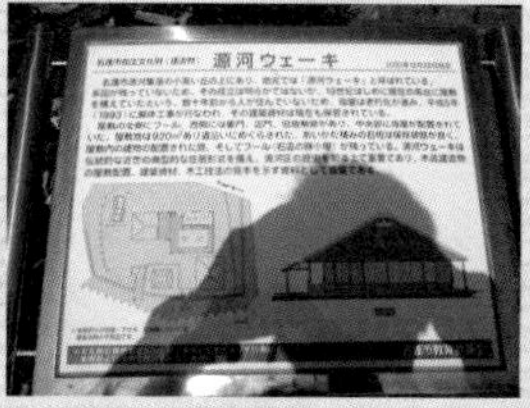

分かりやすい案内板

北側にフールと便所、西側に裏門・正門・旧屋敷跡、中央に母屋があったことがわかる。現在は道沿いに造られた「あいかた積み」の石垣とフールだけが残っている。これは素晴らしい石垣である。

立派な豚房が4つ連なっている。つまり4連式のフールである。これがウェーキヤーの名の由来にもつながるのだ。4連式だと4頭の豚が飼えるわけだが、普通の農家ではせいぜい2連式で2頭しか飼えない。この倍の力が次第に差を広げ、収入もそれにつれて格差が出てくるわけである。

ついでにフールの大きさを計ってみると、1つの豚房の奥行きは2・3メートル、間口が1・3メートル、高さが0・9メートルであった。面積は2・99平方メートル≒1坪弱であった。

琉球石灰岩を用いた石造施設。東西1.3m南北2.2mを切石で囲い、北側後寄りにアーチ型に屋根を架ける豚飼育場を東西に並べる。アーチ屋根上部には植栽を設ける。豚飼育場の西方に石を組み肥溜を配し、前方には便所を設ける。フールの特徴的な形態を残す。（文化遺産オンラインより）

国登録有形文化財

沖縄こどもの国・沖縄市ふるさと園のフール（旧平田家住宅）
沖縄県沖縄市胡屋5-831

2020年3月6日、移設された旧平田家住宅のフールを観るために、沖縄こどもの国に「入国」した。

「沖縄市ふるさと園」は、沖縄の気候風土に適するように造られた明治末期から大正にかけての農家のたたずまいを復元したもの。

沖縄の古い屋敷構えは去る大戦で多くを焼失し、また生活様式の変化に伴いその姿は年々少なくなりつつある。沖縄市に寄贈がなされた先人たちの文化遺産を再現するとともに、文化事業に施設を利用してもらうことにより、地域の風俗、習慣、歴史を学んでもらうことを目的に建設されている（園のホームページより）。

沖縄市ふるさと園内にある旧平田家住宅のマチフールほか計３つの建造物が、２０１１年（平成23年）7月25日、文化庁より、登録有形文化財（建造物）に登録されている。

ちなみに豚房の大きさと面積を積算したので記しておく。

奥にトゥーシヌミーがあり、糞をすると
丸い穴から豚が受け取る

豚が頭を突っ込んで糞を食べる所

素晴らしい石垣とヒンプンが迎えてくれる

奥行きが2・23メートル、間口が1・30メートル、面積は約2・9㎡≒0・9坪で1坪にも満たない小さいフールである。

アグーの大きさを勘案して造られているもので、スタンダードな大きさと思われる。

左のシーリ（肥溜め）が印象的

中村家住宅は明治時代に建築され、沖縄戦の戦禍を免れた貴重な家屋であることから、沖縄返還当日（1972年5月15日）に、主屋、アシャギ、高倉、メーヌヤー、フールが、沖縄本島の民家では初めて国の重要文化財に指定された。返還以前の1956年には、琉球政府から重要文化財として指定がなされている。

国指定重要文化財

中村家住宅のフール
沖縄県北中城村字大城106

2020年3月6日、北中城にある重要文化財、中村家住宅に足を運んだ。受付に許可をもらって写真を撮影した。

現在の屋敷は、ウフヤ（主屋＝母屋）トゥングワ（台所）、アシャギ（離れ座敷）、高倉（籾倉）、フール（豚小屋兼便所）、メーヌヤー（前の屋・家畜小屋兼納屋）、ヒンプン（目隠し塀）、カー（井戸）で構成されており、周囲はフクギと石垣で囲まれている。

明治以前（琉球王国時代）には瓦は士族階級以上しか認められていなかったため、農民階級であった中村家が瓦を用いるのを認められたのは明治中期になってからである。

主屋は18世紀中頃の建築とされ、鎌倉・室町の日本建築の様式が採り入れられているとされるが、随所に独自の手法が加えられている。

フールの建築年代は明治時代と

フールの様子

美しい屋敷構え

フールの中でも美しさ、堅牢さ、精巧さを誇る

されている。豚房のサイズは、間口1・31メートル、奥行き2・13メートル、面積2・8㎡≒0・8坪で3基のアーチ型をした石囲いとなっており、豚の飼育に使われた。人間の便所としても使用され、豚にその排泄物を食べさせた。

うちなぁ家は旧目取真家、高倉、フール、ヒンプン等を移築・修復した沖縄の伝統的な屋敷と建物を再現した施設である。
平成24年2月、旧目取真家主屋及び旧崎原家のフールが「国登録有形文化財（建造物）」となった。

国登録有形文化財

北谷町うちなぁ家ふーる（北谷町字玉上・旧崎原家住宅ふーる）
沖縄県北谷町字上勢頭830-2

2020年3月6日、前日の雨から打って変わって晴天に恵まれた中、目的地の北谷町上勢頭へと車を走らせた。

目的地について驚いたのは、その屋敷の立派なことだった。私の目的はひたすらフールを観ることだったので、管理人の許可をもらってフールの写真撮影と豚房のサイズを計らせてもらった。

奥行きが2・1メートル、間口が1・25メートル、高さが0・50メートルであった。面積は3・35㎡≒約1坪であった。

フールの案内板には、移設前の崩壊寸前のフールと移設後に修復されたフールが比較できるように写真が添えられており、とてもいいアイデアだと感心した。以下、説明文から抜粋する。

沖縄戦前、北谷のフールは読谷山石（読谷村）と港川石（八重瀬町）が使用されたマチフール（石巻き屋根付き豚小屋）が多くみられま

旧目取真家の立派な赤瓦の主屋

トゥーシヌミーも見事に復元（ここで用を足す）

豚はこの穴に首を突っ込み糞を受け取る

した。また、豚の鳴き声は魔物の邪気を追い払うとされており、外出先でマジムン（魔物）に出会ったり、葬式の帰り、水死体を見た場合はフールで寝ている豚を起こして鳴かせ、邪気を払ってから家に入る習慣がありました。沖縄戦後しばらく残っていました。

旧所在地：北谷町字玉上

構造：石造り

移設前の崩壊寸前のフール

明治24年（1891年）頃に造られた家屋で、平成17年（2005年）、主屋、石垣、ウヮーフール（豚便所）井戸の4カ所が国の有形文化財に登録された。昔ながらの建物や石垣のいたるところに先人達の知恵と工夫、生活模様を垣間見ることができる。（真壁ちなーのご案内より）

国登録有形文化財

糸満市・真壁ちなーのフール
沖縄県糸満市字真壁223

2020年2月29日、天気が良かったので糸満市にある「真壁ちなー」に沖縄そばを食べに出かけた。

ホントの目的はそばではなく屋敷に残るフールの写真を撮るためであった。ここはガイドブックにも掲載されており観光客が多い。駐車場もレンタカーでいっぱいだ。

そばができあがる幕あいを利用してフールの写真を撮り終え、テーブルに戻りメニューをめくっていると、「真壁ちなーのご案内」というページに、家屋の説明がつづられていた。

第二次世界大戦時の銃弾の傷痕などが柱や石垣に残っているが、焼けることなく現在に至ること、終戦直後は旧三和村の仮役場、また診療所として利用されたこと、平成17年（2005年）に国の有形文化財に登録されたことなど。

良いですね。理想的ですね。フールが国指定の有形文化財とは。こういう形で残っている、あるいは残されていこのトイレには、豚が雨風や直射日光を遮るためフールの後方に設えられるカブイがない。なぜか。はっきりしたことは言えないが、後方の壁にヒントが隠されているような気がする。

柱が立てられるようになっていた。屋根の材質までは解らないが、おそらくこのフールには屋根があったと思われる。

屋根のおかげで豚は快適に過ごせ、人は快適に用を足すことができたと思う。これも先人たちの知恵と工夫ですね。

カブイがないフールはこれまた珍しい

後方は柱が立てられるようになっている

素晴らしい由緒ある石垣が歓迎してくれた

るフールは幸せだ。
上にも記したが、これまで紹介してきたフールとは少しおもむきが違い、カブイが見当たらない形状である。
建築後約１３０年経過していることが明確にわかりいい建物である。

登録有形文化財（建造物）

おきなわワールド旧知念家住宅フール　沖縄県南城市玉城字前川1384

1996年に移設（玉泉洞公園内）2008年４月18日に登録

豚房の間口は1.3メートル、奥行きが2.1メートルで、面積は2.73㎡≒0.8坪で、平均的な大きさ。

登録有形文化財（建造物）

琉球村旧平田家住宅フール　　沖縄県国頭郡恩納村山田 1130

1982年に移築（琉球村）2007年5月15日登録

明治時代に建造されたといわれている。豚房の大きさは、間口が1.2メートル、奥行きが2.4メートル、面積は 2.88㎡≒0.9坪である。

ドキュメント❸　フールは泣いている

県内各地には、保存状態はさておき今であれば修復可能なフールが多く残されている。旧与那城村の浜比嘉島、宮城島、伊計島に残存するフールを面でつなぎ、一括して日本遺産に登録し、島おこしの起爆剤にできないか。その道を探るべく、2020 年 2 月 15 日と 22 日の両日、訪ね歩いた。

人が住んでいる屋敷（伊計島）のフールはほぼ完全な形で残っているが、そうでないフールは泣いていた。

小型のショベルカーが投入され、今まさにフールを撤去する矢先。偶然とはいえ、フールが泣きながら私に助けを求めたのではないか。（2020/2/21、宮城島桃原地区）

雑草の中から突如フールが現れる。（2020/2/21、浜比嘉島比嘉地区、當山さん所有）

原形をとどめているが、やがて樹木に破壊される。（2020/2/21、浜比嘉島・比嘉）（古喜屋さん所有）

新垣さん宅の見事なフール。（2020/2/21、伊計島）

當江さん宅のフール。手前のトイレとの対比が面白い。（2020/2/21、伊計島）

持て余し気味の金城さん宅のフール。（2020/2/21、伊計島）

コラム

身土不二　世界のトイレ

身と土、二つにあらず。人間と土地は切っても切れない間柄である。各地のトイレの身土不二について、筆者が20年以上にわたって撮りためた写真を織り交ぜながら考えていきたい。

貴族たちはご馳走を食べては放便し楽しんだ。

❶古代都市エフェソスの大理石製の水洗トイレ（トルコ）

写真は、紀元前5、6世紀ごろに設置された公衆トイレといわれている。排泄物を落とす穴の下には常時水が流されていたらしい。大理石を規則正しい間隔でくり抜いた便座が設置され、下部には深い溝が掘られ、水流によって海に流されていた。このトイレには仕切りがなく、横並びで談笑しながら用を足していたと考えられている。

初めて訪問したのは2001年6月だったが、エフェソスの夏は40℃にも達する。熱くなりすぎた大理石の便座は容易には座れない。奴隷が冷たい水で便座を冷やしたのであろう。そして2度目の訪問は2018年1月の寒い日。奴隷が冷え切った大理石の便座に座って温めてから主人が座ったといわれている。大理石を使い、奴隷を使役して便座を冷やしたり温めたりできる権力者なるがゆえの身土不二である。

また、海が近く、海綿が入手しやすかったので、用便後のお尻の始末は海綿を使ったといわれている。海綿の骨格は、細かい網目状の海綿質繊維から成り、スポンジとして化粧用や沐浴用に利用される。もちろん尻ふきにも最適であり、これも身土不二のひとつである。

筆者も貴族になった気分で座ってみた

❷チチカカ湖に浮か人工島の葦のトイレ（ペルー）

アンデス山中のペルーとボリビアにまたがるチチカカ湖は、標高3800メートルという富士山よりも高い場所にある。ペルー側にあるプーノ市街のホテルに投宿したが、高山病に悩まされた。プーノ市街の沿岸や沖合には、ウル族がトトラ（葦）を多数重ねた浮き島を造成している。彼らは現在でも浮島に居住しながら、漁や観光客相手の商売で生計を立てている。プーノ沖の大小100程度が集まった浮き島群はウロス諸島と呼ばれ、約1500家族、約5000人が暮らしているそうである。

葦でできた人工島・ウロス島へ渡る日は晴天で気持ちのいい日だった。島へ到着、ボートから降りるときに足元がおぼつかない、ふわふわした感じがした。人々は、刈り取った葦を2メートルほど敷き詰めた人工島の上で、葦でできた家に住んでいる。当然トイレも葦でできている（現在は水洗式のユニットトイレが備わっている）。島外への移動は葦舟で、生活のすべては葦に頼っている。身土不二を絵に描いたような島であった。

家もトイレも葦でできている。現在トイレはユニットトイレに葦が巻かれ、雰囲気だけを残している（水洗トイレ）

❸トンレサップ湖の水上トイレ（カンボジア）

カンボジアにあるトンレサップ湖の面積は東京都とほぼ同じだ。そこには多くの水上生活者が住んでいる。基本的に彼らは

中央の前に突き出た所がトイレ

湖の水を利用して生活している。私たちの感覚からすると水はかなり汚れている。トイレは湖の水で洗い流す水洗式である。トイレだけではなく、炊事、洗濯、水浴、洗顔、歯磨きなどの生活用水すべてを湖水に頼っていて、トイレからさほど離れていない所からくみ上げて使用する。いけすの上にはトイレがあり、ウンコは魚の餌になる。生まれた時から湖で育った人たちにとって、コレラ菌や赤痢菌などはお友達である。

下の写真は外国人相手のお土産品店の水洗トイレ。貯水タンクはなくバケツに入った湖の水で洗い流す。一般家庭のトイレは床に穴が開いているだけのしゃがみ式だ。ミャンマーのインレー湖の水上生活者も基本的には、ここと同様である。両者とも近年、湖の水質汚濁と漁獲量の減少が問題になっている。水上生活者にとっては、最も身近にあるのが水。生活のすべてを水に頼っていて、水こそが身土不二である。

土産品店の洋式トイレ

一般家庭のしゃがみ式トイレ

❹ アカ族、シャン族の竹製のトイレ

タイ北部に存在するアカ族のトイレ。失礼とは思ったが、学問のためと言い訳しつつアカ族の生活圏に侵入した。一目でトイレと分かるような木材と竹でできた簡易なそれらしき施設が。トイレは左右に2つあり、いずれにも茶褐色の陶器の便器

（上）アカ族（下）シャン族

が設置されている。この色の便器は初めて見た。用便後は水槽から柄杓で水を汲み取りお尻を洗う。そのほうが清潔で気持ちがいい。集落の共同トイレと思われるが、風通しのいい壁の作りから中に臭気がこもることもなく快適と思われた。が、排水の行先が気になった。アカ族が住むタイ北部では竹が多く取れる。集落の周辺にはうっそうとした竹薮があり、木材や竹は欲しいだけ手に入る。そして水が豊富である。竹と木、水は身土不二だ。

ミャンマーのシャン族のトイレ。投宿したホテルの周辺を散歩しているときに、一見してトイレらしい、竹で編んだ芸術的かつシンプルな建造物に出くわした。興味があったので許可を得てトイレを借り、写真を撮った。逆の立場で、外国人が自分の家のトイレに興味を持ち、パチパチ写真を撮られるのはいい感じはしないはずであるが、彼は素直に了解してくれた（感謝）。床は木製で便器は陶製だ。脇に水が用意さされている。お尻の処理と分身の処理は「柄杓でジャー」だ。でもその先が気になった。地下に浄化槽が埋め込まれ、浄化後は周辺に浸み込ませているようだ。ここも少数民族が住む山深いところで、木や竹は豊富に得られ、水も豊富である。身土不二とはこのことなり。

❺ 木造のトイレと木製の便器（日本）

わが国の地形は山林が多く、人々は山間の隙間にへばりつくように集落を形成し、林業を生業として生きてきた国民であるといっても過言ではないだろう。したがって住宅や神社やお寺もすべてが木造である。当然、かつては便所も木造であり、便器も木製だった。また、水は世界的に見て上質でしかも豊富に得られる国である。両方とも身土不二であるが、東南アジアのようにお尻の処理は水ではなく、木簡や竹べラや木の葉など植物の葉を利用していた。これらも豊富に得られ、身土不二に違いないが、水はどうして利用されなくなったのであろうか。便所のことを古くは厠というがごとく、川のそばで用を足し、お尻は川の水で処理していた。しかし、日本の冬は厳寒になる。とても水では耐えられなかったため、いつの間にか廃れていったと考えている。

いずれも山口県萩市在菊屋家住宅（重要文化財）の木の便所、上が小、下が大

★　★　★

これまで見てきた通りわれわれの生活はすべて身土不二の原則に支配されている。衣食住のすべてがその風土と関係し、風土を排しては生活が成り立たない。

灼熱の地方では裸で生活することが可能であるが、寒い地方では衣服をまとわなければならない。また海辺の民は魚介に恵まれて、山間地の民は山でとれるものに頼る。寒い国では寒さに耐えうるような脂っこい食物が必要で、暖かい国は淡白なものでいい。これと同様に、竹の多い南国では竹材が使われ、茅の生えるところでは茅が用いられ、杉や松が多い山国ではそれを材料とした住宅や便所が建てられる。

生活とともにある便所は、水に恵まれた地では水で流す方法が採用され、農を営む平地では肥料にするために糞尿が溜められる。また豚を飼う民にあっては、それを豚のえさにする発想があっても不思議なことではない。草木に恵まれない中国の北部では土の家が造られてきたことは理にかなっている。便所の造りや用便後の処理方法もまた身土不二でなければならない。

★番外編

❶イスラム圏の便所

イスラム教の経典に詠われているのかどうかは知らないが、訪問したモスリム（イスラム教徒）の国々のトイレはほとんどしゃがみ式であった。イスラム式トイレは大体、写真のように

（上）フェズ（モロッコ）の公衆トイレ。用便後は水槽（下）の水で流す

マレーシアのトイレ

モロッコのトイレ

トルコのトイレ

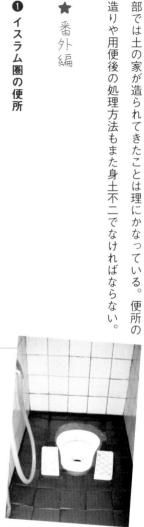

足置きが設定されている。用便後はお尻とウンコを備え付けの水で洗い流す。

ブルネイのトイレ

ブルネイのトイレ。魚が泳いでいるのを見ながら落とす

❷インカ帝国王のトイレ

ペルーのアンデス山脈に位置し、世界遺産として有名なマチュピチュ遺跡にある、インカ王のトイレという珍しいものをお見せしよう。

インカ王は2メートルを超す大男だったらしいが、トイレを実際に見てみると小さかった。石積みになったトイレは現地で採れる石を利用している。これも身土不二だ。

世界遺産の中でも
人気No.1のマチュピチュ

インカ王のトイレ。
小さいですね

旧仲里村字宇栄城にあった平良家のフール

第四章

フールとは切っても切れない養豚の歴史、フールの生みの親ともいえる中国のトイレ、そしてフールの終焉まで、その歴史を追う。

フールの発生と衰退

沖縄の養豚の歴史を知ろう！

豚の来歴

フール（豚便所）は、いつごろから沖縄に存在するのかを語る時、その前提となる豚の来歴について考える必要がある。

フールは沖縄に、豚と同時期に入ってきたか、あるいは豚の伝来以降でなければならない。豚がいないところにフールの存在はありえないからである。

２００１年（平成13年）３月１日の沖縄タイムスに、沖縄に豚がいつごろ入ったかをめぐって、「14世紀のグスク時代までさかのぼる」とする解剖学的研究と「DNA分析で弥生時代（３世紀以前）には既にいた」とする遺伝子研究の２つの異なる研究結果が２００１年、相次いで発表された。いずれも14世紀末の久米三十六姓とともに大陸から持ち込まれたとされる通説より古いことを示しているが、導入時期の差が１０００年以上も離れていることから論議を呼びそうである。

２００１年（平成13年）３月１日付琉球新報の「県内最古の豚の骨」の見出しに目が点になる。北谷町桑江の後兼久原遺跡から出土

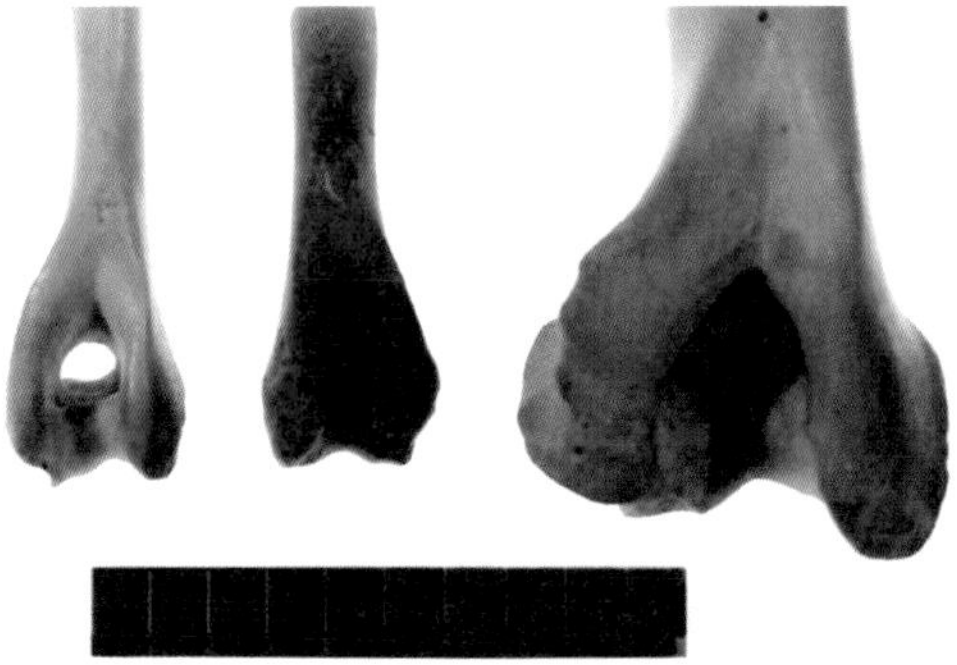

後兼久原遺跡から出土した豚の上腕骨（中央）、左は現生のリュウキュウイノシシのもので滑車上孔が確認できる。右は現生のランドレース種（200kg）のもの。（故川島由次教授提供）スケールは 10cm

した獣骨が、県内で確認された中で最古（14世紀前半）の豚の骨であることが琉球大学農学部の川島由次教授らの研究で分かったという。

　考古学的研究やミトコンドリアＤＮＡ分析結果も結構であるが、最も確実なことは、いつ、だれが、どのような経路で、どのようにして導入したのか、という事実が文書に残っていれば問題はないが、残念ながらこのような史料は見つかっていない。

　そこで、年代順に豚の存在の有無に関する知見を文献から拾い出してみたい。

朝鮮人が見た琉球の豚

　１４７７年、朝鮮の済州島の島民である金非衣らは航海の途中、嵐に遭って与那国島に漂着した。その際の見聞録『李朝実録』には、当時の与那国では、牛、鶏、犬、猫は飼っているが、豚や馬はいなく、牛や鶏は食べることなく、死ぬと埋めてしまうと書き残されている。

　彼らはしばらく与那国に滞在した後、西表島、波照間島、新城島、竹富島、多良間島、宮古島と北上し、那覇にたどり着くが、これらの島々にも与那国同様の家畜はいるが、牛は食べるが鶏は食べないと記されている。同じ頃、沖縄本島では、牛、馬、鶏の他に豚も飼っており、鵞鳥や家鴨もいる。馬や牛を屠殺し、市場でも販売している。鶏もここでは食べており、先島との違いを見せている。このことから本島にはすでに豚が飼われていたことがわかるが、当時、先島までは普及するには至っていなかったのであろうか。

冊封使が見た琉球の豚

　金非衣らが滞在した１４７７年から57年後の１５３４年に冊封使として来島した陳侃は、「野に馬、牛、猪多し。價《あたい》、廉《やす》きこと甚だしく一毎に銀二、三銭に値《あたる》のみ。牲、賤《いや》しと雖《いえど》も人に終歳食し獲《え》ざる者有るは、貧約の故なり」と使録に記されている。

猪の字が見えるが、中国ではブタは豚の字ではなく猪の字で表す。ちなみにイノシシは野猪もしくは山猪と書く（筆者）。

注目すべきはこれらの肉は安いが、貧乏人はそれを買って食べることもできない、と述べている点で、貧富の差が垣間見える。

また、陳侃らは伊平屋に寄港した際に接待されるが、そのメニューには牛、羊、酒、米、瓜などの食品はあるが豚はない。当時伊平屋に豚はいなかったのだろうか。このことから、まだ庶民の食生活にとって、豚はそれほど重要な食材ではなかったと思われる。


ところが、陳侃より26年後（1561年）に来琉した郭汝霖の頃になると、小宴ごとに、国王は豚、羊（山羊と思われる、中国、台湾では羊も山羊も羊に含まれると理解されている＝筆者）、などを冊封使に贈っている。陳侃の時代には記録になかった豚がここに登場する。

しかし、ここでも牛、山羊、豚、鶏などの家畜は見られるものの、痩せこけて食用に堪えない。庶民の日常の食事は飯1、2椀で飢えを充たすに過ぎない。魚や肉の類はほとんどない。それゆえに家畜は安くなり、売りに出す者もいない、と述べている。蕭崇業（1579年）、夏子陽（1606年）録も同様である。庶民の食生活の貧しさは前述した通りであるが、甘藷（イモ）の導入・普及は、これまでの様相を一変させることになる。

次の写真は沖縄の在来豚・ア

沖縄県立博物館・美術館　伊藤勝一資料提供

グーの写真であるが、既述した通り食用に堪えないほど痩せこけている。このような豚ゆえ、市場に出しても二束三文に買い叩かれたのであろう。アグーは本来、粗食に堪えながらも旨みのある美味しい肉を生産してくれる優れた能力を有しているが、この写真から判断すると、最低限の維持飼料さえも与えられていないような印象を受ける。

これでは商品にならないわけであるが、イモの導入を契機にアグーの価値も次第に見直されていったと思われる。

イモは万暦33年（１６０５年）、野国総官が福州から鉢植えして琉球へ持ち帰り、それを儀間真常が栽培・普及したといわれている。庶民はこれにより主食を確保できただけでなく、その副産物としてイモの皮、イモの葉や蔓《つる》により豚の飼料を容易に得られるようになった。

フールとアグー

明治32年（１８９９年）10月7日琉球新報に、「琉球における養豚」の見出しで、次のような注目すべきことが記されている。その大要を記す。

総論

大小の島嶼55、その面積は１５６平方キロメートル（山陰道の約10分の１）程度であるが、その人口44万７千人に対し、豚の飼育頭数は約10万頭。豚の年間屠殺頭数は６万頭に上る。これは全国の屠殺頭数の５割以上に当たる。養豚地として知られる広島県でさえ、琉球に比べるとその３分の１強の１万８千頭余に過ぎない。

また、琉球の農家戸数は７万５千戸で、18万５千人の農民がいるが、この地の農業を発展させるには、養豚無くしては考えられない。豚は厩肥を生産するためにはなくてはならない家畜である。芋は農民の主食として、また豚の餌としてその増産を図るためには、厩肥の生産は不可欠である。

ゆえに養豚の最大の目的は厩肥の生産であろう。

　しかしながら、この地の養豚は他県では見られない珍しい飼い方をしている。それは人の排泄物を豚に与えていることである。人の便所と豚小屋が一体となっており、しゃがんで用を足すと、待っていましたとばかりに豚が駆け寄ってきて、落ちてくるのを待ち受けている。便秘で糞の出が遅いと豚は機嫌が悪くなり騒ぎ始める。時には豚にお尻を舐められることもある、と東京で琉球の話になるといつも大笑いの種になる。

目的

　琉球における養豚の２大目的は厩肥の生産と肉を得ることであるが、最も重要なのは厩肥の生産であり、次いで肉の生産ということになる。なぜならば粗食に長ぜる琉球人の生活には肉食はさほど主要な品ではないと思われる。一方で農業の未開発のこの地の耕作には肥料は最も必要なものである。

◆

　ここに重要なことが記されている。この記録は明治32年（１８９９年）のものである。養豚の２大目的のうち、第1が厩肥の生産、第2が肉となっている。その理由として琉球人の生活には肉食はさほど主要な食品ではない、と言い切っている。ほんとにそうであろうか。農民の生活は、この期に及んでもまだまだ貧しいものであったことがうかがえる。

　暑さが厳しい沖縄では、ただでさえ体力の消耗が激しい。その対策として栄養価が高い肉や魚などの動物性たんぱく質の摂取が必要であるが、農民はそれを購入するだけの経済力がなかったため、粗食に甘んじているだけである。

　ウチナーンチュにとって豚肉は欠かすことのできない生活必需品であったとよく言われるが、そうではなかったというのがよく理解できる。

　では、引き続き同資料を見ていこう。

戦前の那覇の肉市場風景（写真提供：那覇市歴史博物館）

飼料

人の主食である芋の皮や蔓及びカズラ（芋の葉）、野菜くずなどの残り物はすべて豚の餌にする。人糞は餌としての位置づけは低い。

厩肥

豚舎には常時、ワラ、青草、ユウナ、ゲッケツ、ガジュマルなどの葉を投げ入れ、豚に踏み込ませ、厩肥としている。3〜4日または1週間内外で取り出して使う。その効果は顕著で、収穫物の質にも著効がある。

屠殺

屠場には未明より多くの貧家の人たちが集まり、屠殺が始まると、頭、血液、内臓等の収集に従事する。また、肉を買い取り市場で行商をする者もいる。そのいずれも婦人の役目で男性はいない。毎日、午前8時頃から婦人が新鮮な肉を竹籠に盛り、これを頭上に載せて市中を行きしながら「ワーノシシ、コーミソーレー」を叫びながら売り歩いた。琉球人の豚肉の嗜好は、第1に鮮肉、次いで塩漬け（スーチキー）にしたものである。

結論

これを要するに琉球は本邦第1の養豚地にして

1．その飼養の目的の特異なること

2．飼養構（豚舎）の構造の完全

なること
3. 飼養上の順序整備せること
4. 飼料（エサ）の一種特別なること
5. その産物の豊饒有利なること
6. 屠殺場の進歩熟練せること

那覇の屠殺場（提供：首里 琉染）

7. 割烹法（調理法）の調味佳良なること

（註）カッコ書きは筆者

これ優に本邦の養豚地として大いに内外に誇るべき価値あることである。ただ、今後は豚の品種改良を行い、繁殖力を増進することが肝要である。

（農業雑報より）
『那覇市史 資料編第2巻上』（1966年発行）参照

牛肉、馬肉、山羊肉から豚肉へ

沖縄の食生活は、豚肉中心の食形態とよく言われているが、こうして見てくると少なくとも17世紀までは豚肉偏重ではない。むしろ牛、馬、山羊肉を食べる方が一般的であったと言える。それを裏付ける資料として汪楫は、『使琉球雑録』（1862年）の中で、この頃、5日に1度の割で問安日があり、その都度、王府から牛や酒の供応があったが、牛は農耕に重要な家畜であるから屠殺はいけない、と諭すとともに、これを辞退している。

これはすぐには聞きいれてもらえなかったが、しばらくして王府はついに牛を屠ることを禁ずることとなる。

切っても切れない中国とフールの関係

キーワードは圂（こん）

伝説のベールに包まれた中国の歴史は、今から約5000年前に遡ることができるようである。

黄河を中心として生まれた中国の文化は、三皇五帝から始まったといわれる。古代中国神話に登場する神または伝説上の帝王、伏羲氏は野獣の肉を食に充てることや網や罠で鳥を獲る方法を教えた。これがいわゆる狩猟牧畜の時代である。彼は天を仰ぎ、そして伏し、地を測って八卦（占い）を作った。古代の食料はすべて禽獣の肉であったが、神農の時代にはそればかりに頼るわけにはいかなくなり、やがて木の鋤で地を耕し、五穀の栽培ができるようになった。しかし、それははなはだ頼りないもので、人々はそこら辺の雑草で飢えをしのぐ状態であった。

黄帝の時代になると、牛が飼われるようになったが、当時の牛はいまだ家畜化されていなかった。牛、羊、犬、豕（猪子）などが家畜として飼われるようになるのは、まだ先のことであった。

堯や舜の時代は洪水が続く恐怖の世であったが、これも治水の功によって救われ、人々は定住できるようになった。

この時代の便所がどのようなものであったかは、文献に記されたものは見当たらないが、中国の文字の起源である篆書《てんしょ》によってほぼ推察できる。

中国の文字は史皇や蒼頡によってはじめて創られたといわれている。この文字の中に、人と家畜の関係が分かる文字がある。

人々は穴居からようやく脱して、木を用いた住居を造った。「家」という字は「宀」と「豕」という字から構成されている。「宀」は

中国・明時代の副葬品、緑釉猪圏。建物が設置され便所に（上海博物館蔵）

屋根で、「家」は豚のこと。つまり家の中に豚がいることを表している。

また、圂《こん》という文字は豚を柵の中に囲み、飼育していたことを表している。

圂の原形といわれる青磁猪圏

圂とは、はじめのうちは人糞を豚に食べさせるための汚らしい放牧場という意味であった。しかし、人々の知恵の発達にともなって、柵の一角に建物を設置し、そこで放便するようになり、後に便所という意味に転化した。

（李家正文「中国古代の厠」『古代厠攷』相模書房　1961年 参照）

便所の身土不二

圂が便所であることを証明する考古学上の発見は洛陽を中心として行われ、その結果、圂の文字の成立過程が明らかになってきた。

夏や殷時代の社会状態はあまり詳しく知られていないが、宮室の構造は著しく整い、さらに周になると瓦が葺かれるようになり、貝を焼いて灰にして壁にさえ塗っている。これらの建築は今でも中国

沖縄市知花の島袋家のフール（安里嗣淳博士提供）

でみられるような土造りであり、すべての材料が風土と切り離すことはできない身近なものだったことが知られている。これはまさしく建築にみる身土不二である。

身土不二とは、「身と土、二つにあらず」、つまり人間の体と人間が暮らす土地は一体で、切っても切れない関係にあるという意味の言葉である。

前項で、圂という文字は豚を柵の中に囲み、飼育していることを表していると述べたが、琉球のフールはまさしくそのものずばりの形態であり、中国由来の習俗であることが示唆されている。

琉球石灰岩が豊富に採れる琉球では、屋敷の囲い、城壁、墓、橋などの建築資材として幅広く利用されている。台風や風雨にも強く、フールの建築資材としてこれ以上の身土不二は見当たらない。

尻ふきに利用されたユウナの葉

用便後の尻拭きにもっとも適した木の葉はユウナ（オオハマボウ）の葉である。そのためフールの側にはユウナの木が植えられていて、用便後はそれで尻を拭き、豚小屋に投げ入れた。豚はご馳走の大便と味付けされたユウナの葉っぱをもらい喜んだ。すべてに無駄のない立派な身土不二であった。

　日本におけるフールの北限は、琉球文化圏に属する奄美群島であり、鹿児島本土以北ではみられない。1605年、中国から琉球に伝来したイモを契機として農民の生活は一変した。イモは住民の主食となり飢饉から救っただけではなく、人が食べないイモの皮、蔓、ひねたイモは豚の格好のえさとなり、各地で養豚が盛んになった。それ以来、人とフールと豚の関係は深化し、ハレの日には豚肉を食べる機会が増えていった。

　一方、鹿児島以北の米作を主体とした農耕文化は、役用の牛馬は別として、肉用の豚や山羊などの家畜は必要なかった。さらに仏教の教義により生き物の殺生を忌み嫌う風潮が広まり、動物性タンパク質は田圃に生息する魚に求めたのである。それゆえフールや豚は存在する意義がなかった。

　双方の文化や風土の違いが便所の身土不二に現れた好例である。

明器泥象が語るもの

　2000年の昔に中国文化の淵《えん》叢《そう》であった洛陽付近で、1930年頃に鉄道の敷設工事中に地下から大量の土器が発掘された。研究の結果、これが周時代の副葬品であり、往時の生活様相を物語る貴重な資料であることが判明した。この副葬品こそ明器泥象であった。中国において明器泥象を墳墓に副葬したことは、古く周末からの文献に記されていたが、実際に出土したのは初めてであった。

早稲田大学・会津八一記念博物

中国・漢時代の明器泥象〔豚舎（圂）〕
（早稲田大学・会津八一記念博物館提供）

中国・海南島で見かけた簡素なトイレ。その周辺では人糞を求めて鶏や豚が歩き回っていた

館に所蔵される明器泥象の圖は、高さ14・2センチ、長さ23・4センチ、奥行き19・9センチの方形のものであるが、円形のものもある。右側の階段を上ったところが便所で、そこで人が便を落とすと、下で待ちかまえていた豚がいただきますと食べてしまう構造になっている。埋葬される人が死後、豚肉とトイレに不自由しないように副葬品として墳墓の中に収められたと考えられている。

豚は人糞を食って肥《ふと》り、人の食用となる。さらに豚の糞尿は多量の肥料となる。これぞ究極のゼロエミッションである。人糞は豚の消化器官で吸収され、不要な分は排泄される。つまり人の消化しきれなかった栄養の残滓からさらに栄養分を摂取するのが豚である。こんな有用な家畜はほかに見当たらない。

似たような豚便所は韓国、琉球、台湾、フィリピンなど中国と関わりの深い国々や地方に遺跡として残されている。

民族の移動は、その衣食住の生活を携えてゆくものである。また、外来の文化は珍しく高く評価され、はじめのうちは喜んで迎えられるのを常とするが、時が経つにつれて、それはやがて清算されていく。

水に恵まれた所に育った民《たみ》の川屋(厠《かわや》=便所)は、水の少ない所には馴染まない。家畜を飼養した民族の國は、家畜中心ではない農業地域では永久に伝えられることはない。それは生活と分離し、風土と隔絶するからである。

フールが受け入れられたわけ

中国と琉球は冊封・進貢の関係が約５００年間にわたり続けられてきており、フールはさらに後世まで廃れることなく残されてきた。なぜフールは戦後まで継続して使用されてきたのか、ここで立ち止まって考えてみたい。

❶中国文化の受容

琉球は主として福建から、風俗・習慣・食文化など多岐にわたり中国文化を受け入れてきた。琉球から中国へ渡った当時の官生や留学生たちは、当然現地でフールの洗礼を受けたはずであり、帰国後は周囲にその話をしたはずである。

フールを実際に見た人や体験した人たちから話を聞き、「ディーアンセー　ワッターン　アヌフージー　フールチュクティインラナ（どれ、我々も同じような豚便所を造ろうじゃないか）」と意気投合し拡散していった。何しろ当時すべての面で中国を先進国と仰いでいたので、亀甲墓やシーミー（清明祭）同様、この風習もすんなりと受け入れられたのであろう。

久米三十六姓らが琉球に帰化し、久米村にテリトリーを構えるようになったが、そこにフールが設えられたかどうかは不明である。おそらくＶＩＰであった彼らのそばには豚は存在しなかったと思われる。

❷豚の飼料を確保できる

イモが中国から移入されるまでの琉球の農民は、爪に火を点すような貧しい生活を余儀なくされていた。そのような中で豚の飼料を確保するのは大変なことで、そのため人糞が重要な豚のえさになっていた。しかし豚の飼料として人糞だけでは絶対的に量が足りないので、オヤツとしての位置付けであったと考えている。

❸堆肥の生産ができる
土地が痩せていたため、農家にとって堆肥作りは欠かせない大切な作業だった。フールの脇には石造りのシーリが設置され、屎尿を溜めることができた。豚の糞は敷き草とともに豚に踏み込ませて堆肥にした。

❹場所の確保と作業効率アップ
決して広くない屋敷内で豚小屋とトイレを別々に造るよりは、兼用にしたほうが、肥料の生産や便所の汲み取りなどの作業効率が良かった。

❺短期間での豚の肥育
現金収入の手段が少ない農家にとって豚を飼うことは大切なサイドビジネスであり、また年1回のソーグヮチャー（正月豚）の楽しみのために一日でも早く大きくしたい願望があった。

❻豚そのものを重宝していた
豚は沖縄の厳しい気候にも順応し、粗食に絶えながらも肉を生産し、飼育者を喜ばせた。このように豚を重宝していたことが、フールの受容と存続につながった。

ドキュメント❹　関林堂（河南省洛陽）における汲み取り風景

竹竿に吊るされた、汲み取り後のバケツを運ぶ2人組。自転車にバケツをセットし、1人はハンドルを握り、もう1人はバランスを取りながら後方から押していく。

とにかく中国の地方の公衆トイレに入るとびっくりする。外から入ると中は真っ暗、しかもアンモニア臭が充満し、眼も鼻も痛い。一瞬ひるむが、しばらくすると目が慣れ、鼻も慣れてくる（ような気がする）。

やがて床に1本の溝が横たわっていることに気がつく。そう、約30センチ幅ほどのこの溝こそ、中国のトイレを世界的に有名にした「ニーハオトイレ」の神髄である。数名の人が、その溝をまたいで用を足すのであるが、仕切りや扉といったものはもちろんない。前や後ろの人の顔が丸見え、目が合うとお互いに「ニーハオ」と声をかける。だから人々は「ニーハオトイレ」と呼んでいる。

2人の男性がそれぞれ自分の担当便壺から屎尿を汲み取りバケツに入れる。間もなく周辺には悪臭が漂い、道行く人は自分がひり出した分身に鼻をつまみながら急ぎ足で通り過ぎる。薄情ですね。

右写真上は、まだ中身が入ってないバケツ。今はいいが中身が入ると相当慣れた人でないとバランスがとれない。一滴の汚物もまき散らすことなく運ぶのは至難の業である。右写真下は、バケツに入れた屎尿を歩道上に運び出し、それをバランスよく竹竿にセットする様子。ひとつ間違うと運搬中大変なことになるので慎重に仕事を進める。

汲み出した屎尿は、畑に厩肥として還元する。この方式は環境には優しいが、公衆衛生上は好ましくない。

屎尿の処理はいわゆる汲み取り式である。この項で紹介する汲み取り風景は、平成12年（２０００年）頃の写真。中国訪問中に筆者がたまたま出くわしたものであり、千歳一隅のビッグチャンスだった。ニーハオトイレは、北京オリンピックや上海万博以降、沿岸部では見られなくなった。現在14億人の人口を抱える中国は、ものすごい速さで発展を続け、今や日本を追い抜き、ＧＮＰ（国民総生産）はアメリカに次ぐ第２位に成長した。現在では水洗式トイレが普及していて、この光景は中国内陸部でもかなり奥地に行かなければ見られなくなったため、大変貴重な史料となっている（と思う）。

左写真は、中身がたっぷり入った20個以上のバケツをバランスよく運ぶ様子。中国のポットン便所も次第に水洗式便所に変わりつつある。水洗便所が普及すると水や電気が大量に必要となってくるため、中国は今、各地で河川をせき止めてダムを建築中である。ところが、ダムで水は確保できても、建設にともなう自然破壊はまぬがれず、山崩れや水害が誘発されるといった新たな問題を生み出している。

なぜフールは衰退したか

ウチナーンチュの生活に欠かすことができない豚と、毎日数回必ずお世話になる便所の2大スターが共演するフール。

フールは、1960年代前半まで、一部の地域では現役として活躍してきたが、現在では使用されることはない。

この摩訶不思議なフール、ある日を境に忽然と消え去ったわけではない。

その理由を検証してみたい。

フールと寄生虫

有鉤条虫《ゆうこうじょうちゅう》とか嚢虫《のうちゅう》という専門用語が出てくるが、簡単に説明しておこう。

有鉤条虫とは、いわゆるサナダムシのことである。名前の由来は真田紐に似ていることによる。

長いものは10メートル以上に達するというからびっくりする。こんなのがお腹にいると思うと嫌ですよね。ところが世の中には変わった人がいて、ダイエットのためにこの虫を自分のお腹の中に飼っている人がいるらしい（栄養分はこの虫が摂るので自分は太らない）。

嚢虫とは、有鉤条虫（サナダムシ）の幼虫のことである。これが人に寄生し発症する病気が嚢虫症と呼ばれる。嚢虫症はアフリカ、アジア、東欧、中南米など衛生環境が整っていない地域において発生する。かつての沖縄がそうであった。

嚢虫は人体の様々な部位に侵入し、寄生先の臓器に関連した症状を引き起こす。眼球に入り込んだ場合は失明の危険性があり、脳に寄生した場合はてんかんや麻痺を

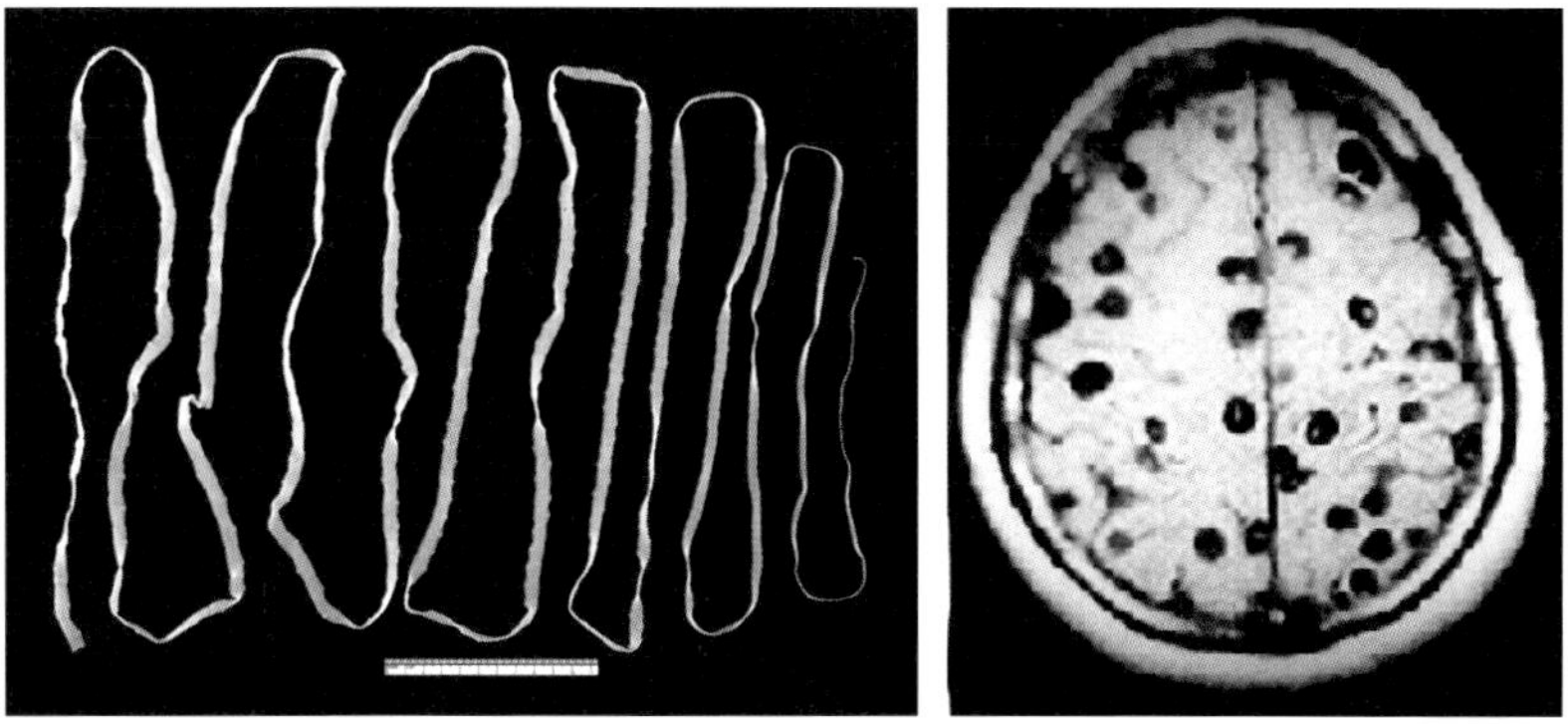

（左）有鉤条虫（サナダムシ）（右）脳嚢虫症患者のMRI像、脳に大量のシストが取り付いている（Wikipediaより転載）

引き起こし、最悪の場合は死に至ることもある。

嚢虫症の治療としては、外科的に嚢虫を摘出することもあり、成虫に感染している場合は駆虫薬で治療することもある。

ワクチンや予防薬はないので、嚢虫や成虫を体内に摂取しないように気をつけることが、発症予防につながる。有鉤条虫の生活環境を理解し、食べ物の取り扱いには注意することが重要である。

豚に寄生する有鉤条虫は、虫卵→六鉤幼虫→有鉤嚢虫→有鉤条虫（成虫）という流れで成長するが、豚の体内では成虫になることができないため、有鉤嚢虫の状態で豚の筋肉内に存在している。罹患した豚の横隔膜にはパパイヤの種のような袋状の形で寄生していた（人の脳に寄生した嚢虫の写真参照）。

現在の日本では、衛生的な豚の飼育方法が確立され、さらに各県の食肉センターでは食肉衛生検査所の屠畜検査員による厳重な検査が実施されていて、有鉤嚢虫に感染した豚に遭遇することはない。安心してお召し上がりください。

嚢虫と人とが最も接触する最前線がフールであったので、当局はやっきになってその改善方を進めてきたわけで、これがフールの衰退の1番の要因である。

当時の大阪朝日新聞の記事に注目していただきたい。

沖縄県では県民の能率を低下し、かつ体躯を矮小ならしむる一大原因として各種腸内に巣くう寄生虫によるものと認められ、県民の寄生虫駆除については極力全力を注いでいるが、今なお減少せず。試みに昭和7年度以降9年度末における県下各地の児童および一般農村民1万3 1 1人に対する寄生虫保有者は、6千6 8 4名で63・8 2 2%に及んでいる。

なお、条虫は他府県では肉牛の感染したものを食べて人体に移行するが、沖縄県では豚肉から染り、無病豚も条虫の混じった人糞を食べた時にこれを人の食膳にのせ、これを食べた人がまた条虫病に罹り、かくの如く条虫は人と豚の間を往来しつつあり、県下各地に条虫患者が非常に多い。

（1935年（昭和10）年3月1日の大阪朝日新聞）

やはり人糞を豚に与えていた頃には、人の寄生虫が豚に移行し、さらに豚から人へと感染していく実態が明らかになった。

前文の基となった沖縄県衛生課発表の「衛生に関する参考書類」（1933・昭和8年）を見てみよう。

・人体寄生虫病に関する件

本県においては県民の能率を低下し、農村壮丁の体躯を矮小ならしむる一因として、各種腸内寄生虫、即ち十二指腸虫、回虫、鞭虫、蟯虫、東洋毛様線虫等の存することは別表の如く、大正10年以降昭和7年まで県下各地における寄生虫検査および駆除によりて、その効率なるを知り得可し、ただここに注意を要するは、検出困難なる条虫卵にして本虫は体節中に卵を包蔵し腸内腔産卵せず。従って卵を糞便中に混ずるは偶然のことに属す。

条虫卵の検出数至って僅微なるが如きも、事実はむしろ十二指腸虫卵数にも比すべき人数にして、今や全県下を風びせんとしつつあり。他府県の条虫は主として無鈎条虫にして、肉牛の感染したるものを食するによりて人体に移行するに反して、本県のものは豚肉を介して誘起せられる有鈎条虫にして、他府県にしては稀有の寄生虫なりとす。無病の豚は条虫患者の糞便と条虫体節の混じたるものを食するため嚢中豚となり、さらにこれを人類の食膳に上すことによりてこれを食する人、条虫病に罹る。かくのごとく条虫は人間と豚の間を往来して、子孫を繁殖しつつあり、近似県下各地において嚢虫豚の発見率多くなれる事実は条虫患者の増加したることを裏書きするものとす。

屠場にて発見せらるる嚢虫豚数は、各地を通じて年々増加するのみならず、その分布漸次拡大するに至れり。那覇屠場のごときはその頭数において増加せず、却って減少の傾向にあるがごとく見えるも、これ仲買人即ち屠畜業者が自己損失上の関係より病豚を診断する方法を研究し、容易にこれを屠場に移入せざるによる。その嚢虫豚は大抵自家用に供し、もしくは密殺してこれを廉売す。かかる肉はパパイア肉と称し、安価にて民間に提供せらるる。一般無知の民衆はこれを無害と信じいるを以て喜んで売買せらるる有様なり。ゆえに本県より条虫病を駆除せんとせば屠畜検査において厳重に取り締まるは勿論なるも

一、衛生講習会、家庭主婦会等の会合において食肉衛生の知識を普及すること
二、条虫患者を発見せばただちに駆除を命ずること
三、有病地より嚢虫豚もしくはその疑いあるものの売買禁止（移動監督）
四、自家用並びに密殺豚の取締、前者においては警察官を立ち合わせしむること
五、警察官に獣肉鑑別の知識を涵養する
六、養豚兼便所の廃止

豚嚢虫病各郡市別（大正５年～昭和６年）

年	那覇市	首里市	島尻郡	中頭郡	国頭郡	宮古郡	八重山郡	合計
大正５			3					3
7		3	9	1				13
8		2	38	10				50
9	12	8	106	49	2			177
10	7	9	53	39	2	2	1	113
11	7	6	61	53	3	1		131
12	9	10	96	79	24	1	5	224
13	8	13	113	69	26	2	5	236
14	12	14	171	64	20	11	8	300
昭和元	9	36	344	138	58	4	56	645
2	15	21	191	122	65	7	62	483
3	10	12	75	80	92	7	65	341
4	6	7	74	62	108	4	57	318
5	6	10	61	73	136	3	40	329
6	4	7	102	76	128	1	28	346

(原本の表には罹患豚は牡牝別になっているが、ここでは合計数を示す)

にあれども右のうち、実行困難のものは延期し、昭和8年度において県としては知識向上のために衛生講習会を10ケ町村に開催し、条虫患者を発見するために寄生虫検査を予算の範囲内において、なるべく多数に行き渡るよう施行し、他の一般寄生虫を発見するとともに殊に条虫発見にも努力し、警察官教養には本年度は一新機軸を案出せんと企画しつつあり。

先述した通り豚嚢虫による条虫症の撲滅には並々ならぬ決意の程がうかがえる。

そのために密殺の取り締まりに警察官を立ち合わせたり、その鑑別の知識を習得させたり、フールの使用を禁じる等、県をあげてその対策に力を入れていることが伝わってくる。

有鉤嚢虫に感染した豚肉を食べると、人の腸内に入り、ここで成虫である有鉤条虫に成長する。有鉤条虫のままだと問題になることは少ないが、この虫卵が腸管内で孵化して六鉤幼虫となると、これが腸管の壁を通って血管内に侵入し全身を巡る。やがて六鉤幼虫は、脳、筋肉、皮膚、眼球などに移行し、そこで有鉤嚢虫へと成長し病原性を発揮する。

有鉤嚢虫の感染ルートは、完全に火が通ってない感染した豚肉を食べると、それが腸にとどまり、そこに何千個もの卵を産みつける。卵は断続的に便に混じって体外に排泄される。

フールに落としたウンコを豚が食べると豚の体内で卵が孵化し、幼虫が豚の血中に入り、細い血管や筋肉組織の中に棲みつき、それを人が食べると今度は食べた人間の血管に入り、巡り巡って脳に行き、脳室内で大きくなって嚢胞(ブドウの房状のもの)を形成する。

フールと衛生

まず、戦前のフールの衛生状態について述べている文を紹介する。

> 水が乏しい上に、住居が不潔で農家の大部分は豚に排泄物を食わす仕組みの「豚便所」を用いているから、伝染病や寄生虫はびこり放題である。チフスや回虫は内地にないではないが、その他にもアメーバ―赤痢、フィラリア、ストロンギロイデス、有鉤条虫などが取り揃えて保存されている。
> （飯島曼史「生活改善部落」1935年）

全く不名誉なことで、まるでデパートの売り場のように商品を取り揃えるかのごとく、寄生虫や伝染病が取り揃えられているという表現である。しかし、それほどまでに戦前の沖縄の農家の衛生状況は劣悪であったことを言い表わしている。

昭和7、8年頃、家畜防疫員は警察の所轄下にあった。不衛生なフールを改善させるために、家畜防疫員は警察官とともに農家を巡回し指導を行った。

この様子を当時家畜防疫員として活躍していた獣医師の大野実氏の証言が残っている。

> 巡視の時はトゥシヌミー（ウンコを落とす穴）は塞がれていても、しばらくすると、また開けてある、といった状況であった。訳を聞いてみると、「先生、人糞をやらんとね。買い手がいないから」。

人糞を食わした豚の方が価値が高かったとは恐れ入る。このような時世であったので、なかなかフールを無くすことができなかったひとつの理由である。

この話は昭和初期のことであるが、明治30年代には既に県令で禁止し、警察は取り締まりを強化したのであるが、昭和になってもこの調子であった。

次いで宮古島に着目してみよう。昭和24年に至り、豚嚢虫を撲滅し養豚業を発展させようとする機運が高まってきた。時あたかも昭和24年5月、民政府内に知事を本部長とする「豚嚢虫撲滅・豚舎改善協会本部」が設置され、各市町村に支部を置き、その中に各部落の指導的立場にある人を推進員に委嘱し、一大運動を展開することになった。その中で宮古の場合、特筆すべきことがあった。

　この事業は宮古島の全島民が、その必要性を理解し、推進するものでなければ、積年の悪しき風習を改善することは至難であることから住民の協力を得る手段として、手作りの紙芝居（3巻）を制作して各集落を巡回公演したことである。

　紙芝居の説明文は、宮古民政府畜産課が作成、絵は専門家に依頼して、紙芝居師よろしく自転車の荷台に載せて島内いたるところを廻ったとのことである。娯楽の少ない時代、視覚に訴える紙芝居という方法は大きな反響を呼び、その効果は上々であった。

　これを受けて、昭和24年5月26日の「宮古新報」は、社説で豚嚢虫撲滅の重要性を次のように訴えている（要旨）。

◆

> 琉球列島における豚嚢虫発生の来歴は一九一七年に三頭の発生をみたのが最初で、以後累年増加の傾向を示している。このため県当局は昭和一三年沖縄県令三三号、「養豚場取締規則」が制定された。これが撲滅の徹底策として豚舎改善を断行した結果、沖縄・八重山では、その発生が皆無となり、未改善の我が宮古のみが取り残されたわけであるが、昨年度においてはその発生はますます猖獗《しょうけつ》を極め、飼育頭数の三〇％の発生を見つつあることは憂慮すべき一大関心事である。
>
> 　民政府においては、知事以下関係当局者は非常なる熱意を示し、その撲滅対策費として二五万円を計上し積極的に乗り出すことになったことは、時宜を得たものであり、一般飼育者も大いに協力しなければならない。

◆

　この社説は宮古郡民の豚嚢虫撲

左側を後ろにしゃがんで用を足す。穴に落ちたウンコを豚が食べる

滅の啓もうに大きく貢献したといわれている。また、警察署長は衛生上必要と認めた時は、豚舎の位置や構造などの変更及びその他の措置を命ずることや、これに違反したものには罰金または拘留の措置などまで謳われている厳しい内容であった。(宮古畜産史編集委員会編・宮古市町村会発行『宮古畜産史』)

このように、宮古の場合は官民一体となって衛生環境の改善に成功したが、那覇近郊の離島はどうだったのであろうか。渡名喜島に目を転じてみよう。

王国時代から大正にかけてどこの家でも便所は豚小屋と兼用したトゥーシ(東司)だった。それはおそらく中国の風習が伝わったものだろうという。

豚小屋の各区毎にトゥーシを造り、人糞の落ちる穴をトゥーシヌミー(東司の穴)という。トゥーシヌミーに落ちた大便を豚が片付けてくれるようになっていた。トゥーシの前には1メートルほどの高さの目隠しがついている。

廃藩置県後は、県令によってこれを禁止したことがあったが、なかなか改まらず、この村でも昭和の初期になると県の指導などで2層あるいは3層便所の普及を奨励し、改良に努めたが、一部の家では戦後もしばらくこれを使っていた。(『渡名喜村史(上巻)』)

沖縄本島や周辺離島におけるフールの状況はほぼ同様であるこ

とがわかる。
長年の風習や慣習は、そう簡単には改まらないということであるが、やはり人の健康に直結する伝染病や寄生虫病に対する見地からフールの危険性は次第に住民にも伝わっていった。
話は変わるが、韓国の済州島にも豚便所が存在した。人が糞を垂れると下で待機している豚が「待ってました！」とばかりに喜んで食べるフールの原理は沖縄のそれと同様であるが、形は全然異なる。（19ページの写真参考）。韓国の民俗や文化に詳しい琉球大学の津波高志教授（当時）は『ハングルと唐辛子』の中で、以下のように述べている。

私が調べた限りでは、トイレと豚小屋が一体になってはいても、若干形態は異なる。済州島の場合、建物全体を屋根で覆うことはない。豚が雨露をしのぐ半畳ほどの草屋根が一角にあり、あとは豚舎の大部分もトイレも青空の下にある。古く遡ればどうかしらないが、私の知る限りでは、沖縄では建物全体に屋根がついているのが一般的である。それは異なっていても、豚舎とトイレが石造りという点は共通する。また、沖縄では糞の落下する穴をトゥーシーというが、済州では建物全体がトンシーである。

私が最初に現地調査を行った頃は、セマウル運動（農村近代化運動）で、豚舎とトイレを分離することが積極的に推し進められていた。かなり成功を収めたようである。思えば、戦前の沖縄でもそのような分離運動があった。豚舎から分離されたトイレを衛生便所と称賛したものである。済州島ではどうか、聞き漏らしてしまった。

筆者は平成11年10月、県の研修で済州島に2週間ほど滞在する機会に恵まれた。
城邑民俗村には、かつて島で使われていた豚便所（トンシー）にて黒豚を飼育し、当時の状況を再現していた。噂には聞いていたが、これを目の当たりにしたときの感動は忘れられない。

余談だが、雌雄両綱をかんぬき棒で固定し、二手に分かれて引き合う形式の沖縄の綱引きは済州島でも見られるようだし、高麗陶磁器の技術を沖縄へ伝えたことや門中制度の存在など、沖縄とは関係も深く、共通点が多い。

古い悪しき風習を改め近代化を推し進めようとする政策はどこの国でも見られるようである。ヒマラヤの小国、ブータンにもかつてフールが存在した。2階に人が住み1階は豚小屋になっていて、糞は2階の小さな穴から下に落とすようになっていた。今のうちにと思い、15、6年前にブータンに入ったが、時すでに遅し、豚便所にお目にかかることはできなかった。これも近代化のあおりを受けた結果であった。

フールと環境問題

現在では屋敷内で豚をはじめ、牛、馬、山羊などの家畜を飼うことはできない。

その理由を挙げると、まず第1に糞尿の臭いだろう。家畜の糞尿の臭いはそれぞれに特徴がある。牛、馬、山羊はすべて草食獣であるが、豚は雑食性である。草食獣と雑食性の動物の糞臭を比べると、明らかに雑食性の豚の方が臭いはきつい（余談になるが、肉食獣であるイヌやネコの糞はさらに臭い）。

いずれにしても、家畜の糞尿を厩肥として利用する場合、敷きわらに屎尿を長い期間、充分に踏み込ませる必要があり、臭いは次第にきつくなる一方である。各家庭で豚を飼っていた時代、集落全体で発生する臭いたるや相当なものであったと思われるが、皆が飼っていれば、これに文句を言う人はいない。

次に問題になるのがハエなどの衛生害虫の発生である。彼らは、敷きわらと屎尿が混ざり合ったその中に卵を産み付ける。長い期間そこに置いておかれる敷きわらの中では、ネズミ算どころではなくジャンジャンと虫が増えていく。特に暖かくなる季節は大変だ。成虫に成長すると家屋にエサを求めて侵入してくる。さらに、エサを求めてネズミが集まり、ネズミを求めて猫やハブまでも集まってくる。これが原因で伝染病、寄生虫病、食中毒が発生した。

そして騒音だ。牛や馬は比較的おとなしいが、豚や山羊は給餌の時間がずれると大騒ぎを始める。豚はギャーギャー、ビービーと非常にうるさい。

このように、フールが元となって引き起こされる環境問題は時代とともに大きくなっていった。集落からはフールがひとつ消え、ふたつ消えしながら、次第に消滅していった。

豚のサイズが大きくなった

かつて琉球で飼われていた島豚アグーは、成長しても60キロ程度の重量であった。現在われわれが目にする洋種のランドレース種、ヨークシャー種、バークシャー種やハンプシャー種などに比べるとかなり小型である。

フールのサイズは島豚アグーのサイズに合わせて造られているので、大型種であるランドレースやヨークシャーには不向きである。

沖縄では1960年代後半まで、各家庭で豚の脂身肉を購入し、自家製のラードを作っていた。大きな鍋で脂身肉を煮つめて一晩寝かせると、翌朝には鍋いっぱいに純白で良質なラードが出来上がった。これを油壺に入れて保存し、チャンプルーや天ぷら、みそ汁の味付け等に使用する。ラードは大変貴重な油脂であり調味料であった。ラードになったアグーの脂肪の風味や美味しさは語り草になっている。

しかし、動物性油脂が健康上好ましくないとのことで、次第にラードは家庭のキッチンから消えていった。それと同時にアグーも役目を終え、代わって登場したのは中躯が長く三枚肉やロースが多く取れるランドレースやヨークシャー種であった。

また、時代はすでに庭先で豚を飼う時代ではなくなっており、資本を投資してフールを改修するより、米軍での軍作業に従事したほうが収入も良くなるということで、フールは次第に消滅していったのである。

あとがきに代えて

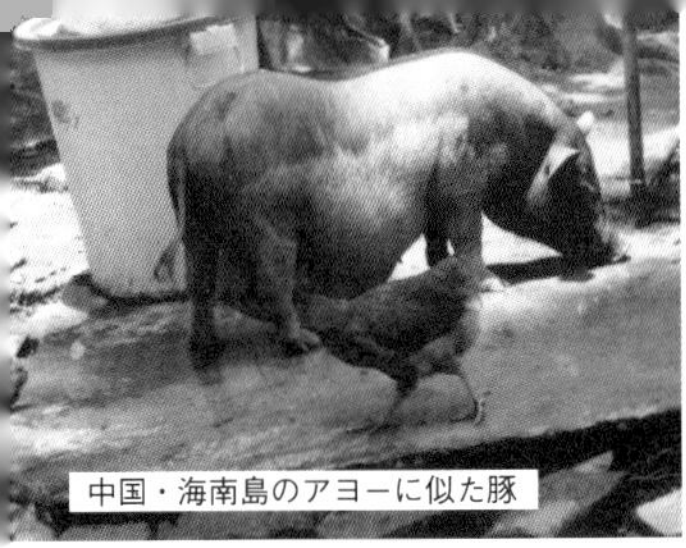
中国・海南島のアヨーに似た豚

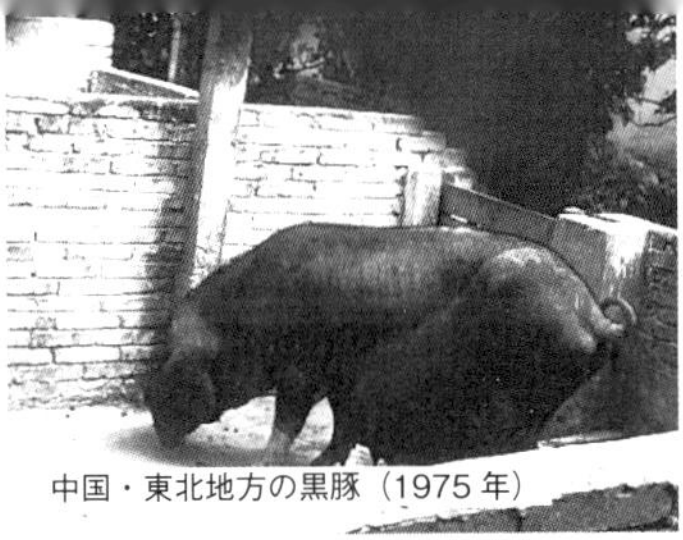
中国・東北地方の黒豚（1975年）

アグーそっくり・インドの野豚（1972年）

小さな文字を続けて眺めていると、次第に目がかすみ、頭までボーッとしてくる。頭と目の疲れと肩凝りを癒すために写真をご覧いただきたい。筆者が約30年にわたりアジアの国々を廻り、撮ってきた豚と豚舎の写真の一部である。皆アグーそっくりですね。昔はどの国にもこのような黒豚がいたが、いずれも経済的見地から西洋種に取って代わられ、在来種は絶滅の危機に瀕していった。これもアグーと全く同じ運命をたどってきた。

琉球大学の川島教授（当時）が発表した、琉球における豚の存在が14.世紀以前のグスク時代にさかのぼることや、ＤＮＡ解析により豚の存在がそれより千年以上もさかのぼることを示唆しているが、いずれの説も14世紀末に久米三十六姓らとともに大陸から持ち込まれたとする定説よりも先であることを示している。

また、漂着した朝鮮人が見た当時の風景と、冊封使が見た風景から、島々における豚の存在はある程度推察できる。

それよりも筆者はＤＮＡ解析により、豚の存在が千年以上もさかのぼるという研究結果にロマンを感じる。沖縄や奄美群島に住む人々は、海の向こうの彼方にニライカナイの国があると信じ、そこには神が住むとされ、その地

台湾・蘭嶼の幸せそうな親子

韓国・済州島のアグー

フィリピン・ルソン島のアヨー

豚小屋が汚い（台湾・蘭嶼）

島を自由に闊歩する蘭嶼のアヨー

酒造所の豚（ミャンマー）

からは様々なものが流れ着き、神の来訪とともにもたらされると考えられている。

他方、パプアニューギニアでは、子豚は「わが子」と呼ばれ、離乳まで人の母乳を与えられ、愛撫されて育つこともあるという。豚は多くの国で揶揄の対象にされがちであるが、メラネシア社会は豚にとって天国である。が、最期は結局人の口に入って成仏する。メラネシア社会で古くから飼われている家畜は、豚、犬、鶏である。これらの動物の野生の祖先は、いずれもメラネシアには存在しないことから、メラネシアの豚は、東南アジアが原産であり、きわめて古い時代に人間の手によって持ち込まれたものと考えられている。

考古学的な史料からは、メラネシア全域にわたる豚の伝播は、紀元前２千年から１千年頃のこととされる。それをもたらしたのは、東南アジアから移動してきたオーストロネシア語族に属する言語を話す人々である。人間に飼われている豚は、人間が生産する食物に多くを依存する。したがって東南アジアからメラネシアにもたらされた豚の飼料は、タロイモやヤムイモなどの根栽農耕と結びついていたと推測される。

いずれにしても、メラネシアでは、豚は最初から人間とともに存在したということになる。

涼しい場所でお昼寝中（ミャンマー）

アグーそっくり（北部ベトナム）

幸せな母豚と子豚（プノンペン）

放し飼いのアグー（中国・西双版納）

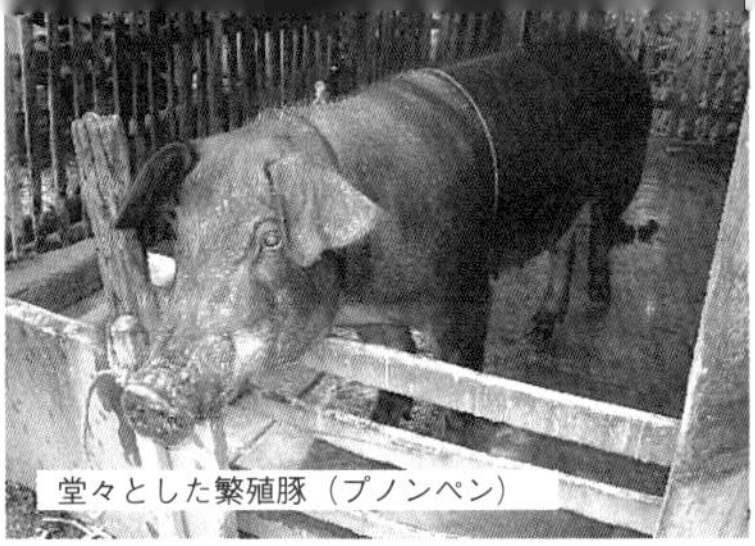
堂々とした繁殖豚（プノンペン）

プノンペン近郊の豚小屋

（熊谷圭知「豚を愛する国々」『JOCV Monthly Magazine Crossroads 1998.12』参照）

メラネシアの人々が小さな舟に家族と犬、豚や鶏とともに新天地を求めて黒潮に乗って北の方角に向かい、流れ着いたところが琉球だった、と仮定したらどうなるであろうか。ニライカナイ説やDNA解析による14世紀以前、２０００年から１０００年にかけての豚の存在、中国以外のアジアの国々からの豚の渡来説も解決するのではないだろうか。ここにロマンを感じるのである。

そして、フールだ。フール以前の豚小屋はどのようなものであったのか、検証してみよう。

以下の理由で考古学的にみてもフールの遺跡はそう古いものとは思えない。

イモが伝来する以前の16世紀後半までの琉球の農民は、爪に火を点すような困窮した生活であったが、17世紀初頭にイモが中国から伝来以後、農民の生活はそれ以前の生活に比べると劇的に変化した。イモは農民の主食になり、その副産物である蔓や葉やイモの皮は豚の格好の餌となり、豚を飼うのが比較的容易になった。

ところで、その当時の豚小屋はどのようなものであったのだろうか。最も手っ取り早い方法は山から木を伐り出し、それを組み合わせ屋根に茅を被せただけの簡易なものだったはずである。

アグーに似た黒豚（西双版納）

下水で憩うアグー（西双版納）

食糧探しで忙しい（中国・西双版納）

a）木製の豚小屋（ミャンマー・シャン地方）

b）ベトナム北部で見かけた簡易なフール

c）フールの原形？（ベトナム北部）

左の写真をご覧いただきたい。aはミャンマーのシャン州で見かけた木製の簡易な豚小屋である。1日で造れるような簡易なフールで費用はほとんどかかってない。bはベトナム北部のフールである。これも木製で屋根は拾ってきたトタンを被せただけの簡易な豚小屋である。いずれも豚舎に金をかける余裕のないところの豚小屋である。国は違うが、この2つの豚小屋の造りと農家の経済的条件等を考慮すると古い沖縄の豚小屋も同じような形式だったのではないかと想像がつく。
だが、沖縄では毎年来襲する台風時には簡易な豚小屋はたちまち吹き飛ばされ、

豚舎の外側（タイ・チェンライ）

かなり警戒心が強い（西双版納）

フールもそっくり（西双版納）

豚が逃げたり、死んだりしたのでもう少し頑丈な豚小屋を造りたかったのが本望であった。

時あたかも14世紀後半から、中国と琉球は冊封・朝貢という関係の下、４００名以上の冊封使一行が来琉し、６カ月以上にわたり琉球に長期滞在するが、国賓である彼らの食料の確保（特に彼らが好きな豚肉）は首里王府にとって、最も頭を悩ます大きな課題であったと思慮される。そこへ救世主のごとく現れたのが中国伝来のイモであった。イモは琉球の庶民の主食となっただけでなく、豚をはじめとする牛や馬の餌となった。そのおかげで養豚は各地で盛況を呈し、瞬く間に豚は増えていった。

豚が増えることにより農家の収入も増え、以前に比べると生活にも余裕が出てきた。そこで金を稼いでくれる豚のために一段と立派な豚小屋を造りたいと思っていた農家は、身近にある比較的入手しやすい石灰岩に目を付けた。多少の出費は痛いが、台風などの心配から逃れるためには石造りのフールは最良の選択肢だったと思われる。

そして、師と仰ぐ中国人の風習である人糞を豚に与えるウヮーフル（豚便所）の風習を抵抗なく取り入れたのではないかと考えている。

だが、隆盛を極めたフールは、すでに見てきたように、人糞を豚に喰わすこと

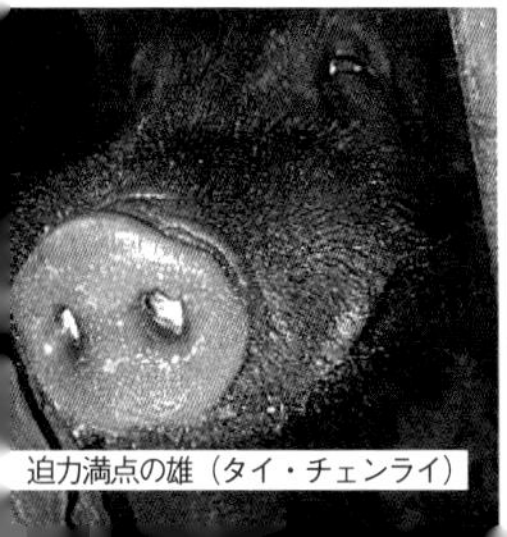
迫力満点の雄（タイ・チェンライ）

背の窪みと後肢の副蹄に注目。雄（タイ・チェンライ）

右側の豚房は雌専用（タイ・チェンライ）

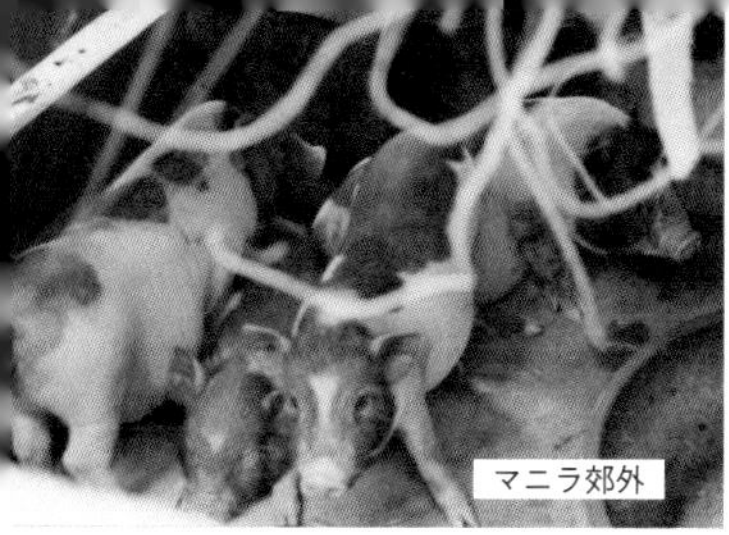
マニラ郊外

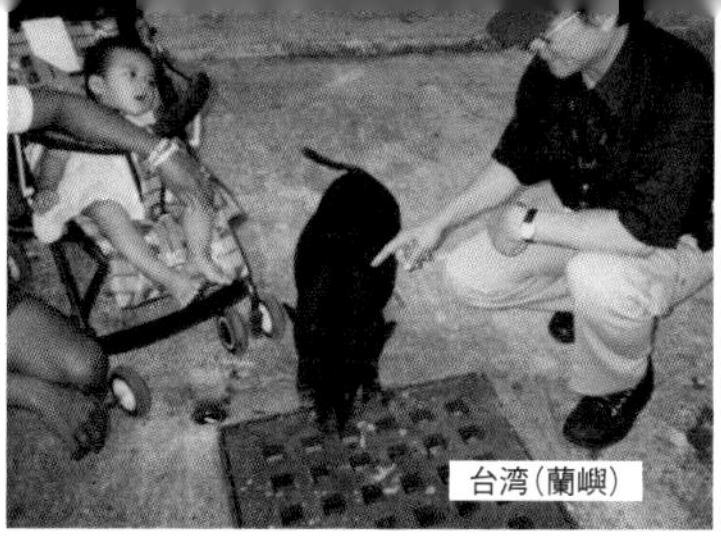
台湾(蘭嶼)

マニラ郊外

によって引き起こされる伝染病や寄生虫病などの衛生問題、悪臭、ハエなどの衛生害虫の発生、騒音などによる環境問題などにより、新生活運動の名のもとにフールは次第に住宅地から排斥されるようになり、豚小屋とトイレが一体となったフールは分離され、次第に衰退への道をたどっていったのである。

さて、「たかがトイレ、されどトイレ」、当たり前の日常生活になくてはならないものであるが、なかなか日の目を見ないのがトイレである。

中でも、かつて琉球にあった、豚小屋と人間のトイレが一体となったフールは、出色でユニークすぎて、人前でその話をするのさえ、はばかられるほどである。したがってこれを研究する変人は多くなかった。

売れるか売れないかも分からない臭い話の本の出版を快諾してくださったボーダーインクの池宮紀子社長および、丁寧な編集に徹してくださった喜納えりかさんには心より感謝申し上げる次第である。また、多忙の中、歴史的考証について適切なアドバイスをくださった安里嗣淳博士には、このページを拝借して感謝の意を表します。

長々と臭い話にお付き合いいただいた読者の方々に深謝申し上げます。

ベトナム北部

マニラ郊外

マニラ郊外

主な引用・参考文献

青山洋二「豚と暮らしと信仰と」『月刊青い海』№94　青い海出版社 1980 年

池田誠利「手を洗う」『新沖縄文学№83』p10-11 沖縄タイムス社　1990 年

飯島曼史「生活改善部落」『南遊記』朝日新聞社 1935 年

伊波盛誠『琉球動物史』ひるぎ書房 1979 年

伊波普猷「朝鮮人の漂流記に現れた十五世紀末の南島」『伊波普猷全集第五巻』平凡社 1974 年

伊波普猷「フカダチ考」『伊波普猷全集第四巻』平凡社 1974 年

沖縄テレビ放送株式会社編集『よみがえる戦前の沖縄』㈲沖縄出版 1995 年

小野勝年「漢字の“圂”と“厠”について」『民俗学研究』1951 年

金城須美子「史料にみる産物と食生活」『新沖縄文学 54 号』沖縄タイムス 1982 年

金城朝永『異体習俗考』六文館 1958 年

金城朝永「厠神及民間信仰」『珍奇異態風土記』成光館書店 1933 年

熊谷圭知「豚を愛する国々」『JOCV Monthly Magazine Crossroads 1998.12』

小島麗逸「屎尿処理史」『アジア厠考』大野盛雄・小島麗逸 編著『アジア厠考』勁草書房 1994 年

坂本万七『坂本万七遺作写真集　沖縄・昭和 10 年代』新星図書出版 1982 年

笹森儀助「琉球漫遊記」『南島探検 1』平凡社 1982 年

佐原 真『食の考古学』㈶東京大学出版会 1997 年

津波高志『ハングルと唐辛子』ボーダーインク 1999 年

仲原善忠『久米島の歴史と民俗』第一書房 1990 年

名越左源太「幕末奄美民俗誌」平凡社 1984 年

那覇市企画部市史編集室編『那覇市史 資料編第 2 巻上』1966 年

那覇出版社編集部『写真集 沖縄 失われた文化財と風俗』那覇出版社 1984 年

那覇出版社編集部『写真集 沖縄戦後史』那覇出版社 1986 年

西谷 大「豚便所 飼育形態からみた豚文化の特質」『国立歴史民族博物館研究報告 第 90 集』2001 年

平川宗隆『沖縄トイレ世替わり』ボーダーインク 2000 年

宮城真治「山原その村と家と人と」『山原』名護市役所 1987 年

宮良当壮「琉球諸島に於ける民家の構造及風習」『沖縄文化論叢』第二巻民俗編　平凡社篇 1971 年

源 武雄「豚便所漫談」『月刊青い海』№94　青い海出版社 1980 年

源 武雄『日本の民俗 沖縄』第一法規出版株式会社 1972 年

宮古畜産史編集委員会編『宮古畜産史』1984 年

李家正文「沖縄の豚便所」『厠まんだら』雪華社 1981 年

李家正文『古代厠攷』相模書房 1961 年

李家正文『厠（加波夜）考』六文館 1932 年

渡辺重綱「琉球漫録」比嘉春潮編『蠹魚庵漫章』勁草書房 1971 年

【おことわり】本書に掲載の写真については所有者を詳細に調査のうえで掲載していますが、万が一誤りがあった場合はご指摘ください。

平川　宗隆（ひらかわ むねたか）

獣医師　博士（学術）　調理師
ノンフィクション作家
1945年8月23日生
1964年　コザ高等学校卒業
1969年　日本獣医畜産大学獣医学科卒業
1994年　琉球大学大学院法学研究科修士課程修了
2008年　鹿児島大学大学院連合農学研究科博士課程修了
1969年　琉球政府厚生局入庁
1972年　JICA・青年海外協力隊員としてインドへ赴任（2年間）
1974年　帰国後、沖縄県庁へ復職
2006年　定年により退職

著書
『沖縄トイレ世替わり』ボーダーインク 2000年
『沖縄のヤギ〈ヒージャー〉文化誌』ボーダーインク 2003年
『ヒージャー天国』ボーダーインク 2018年
『豚国・おきなわ』那覇出版社 2005年
『Dr.平川の沖縄・アジア麺喰い紀行』楽園計画 2013年
『世界に広がる沖縄SOBA』編集工房 東洋企画 2018年

他多数

沖縄フール曼荼羅《マンダラ》

いにしえの〈豚便所〉
トイレ文化誌

2021年7月30日　初版第一刷発行

著　者　平川　宗隆
発行者　池宮　紀子
発行所　（有）ボーダーインク
〒902-0076
沖縄県那覇市与儀226-3
tel.098（835）2777
fax.098（835）2840
印刷所　でいご印刷
ISBN978-4-89982-409-1